HSK真题集（四级）

Official Examination Papers of HSK (Level 4)

2014版

高等教育出版社·北京
HIGHER EDUCATION PRESS BEIJING

《HSK真题集》系列

总监制：许　琳

总策划：马箭飞　胡志平

策　划：段　莉　张晋军　李佩泽

编　委：（按姓氏笔画顺序排列）

王翠蔚　李亚男　张　欣　张铁英

张慧君　欧阳潭　赵　璇　唐　煜

黄　蕾　符华均　解妮妮

前 言

汉语水平考试（HSK）秉承“考教结合、以考促学、以考促教”的理念，根据语言学和教育测量学的最新理论，于2009年实现全新改版，更好地适应了全球汉语教学的实际情况，成为最具广泛性和权威性的汉语能力评价标准，被普遍用作学校录取、企业用人等的重要依据。

截至2013年底，孔子学院总部/国家汉办在全球108个国家和地区设立了823个HSK考点，除传统的纸笔考试形式以外，计算机考试和网络考试也在逐步推广，极大地方便了每年数十万考生多样化的报考需求。

为满足广大汉语学习者学习、备考的需求，2014年我们继续出版《HSK真题集（2014版）》系列。本套真题集共7册，包括汉语水平考试（HSK）6册和汉语水平口语考试（HSKK）1册，每册包含相应等级的真题和答案各5套，并配有听力录音、听力文本和答题卡。希望本套真题集成为广大考生和汉语学习者的实用助手。

编 者

2014年1月

目　录

孔子学院总部/国家汉办
Confucius Institute Headquarters(Hanban)

汉 语 水 平 考 试

HSK（四级）

H41221

注　　意

一、HSK（四级）分三部分：

　　1．听力（45 题，约 30 分钟）

　　2．阅读（40 题，40 分钟）

　　3．书写（15 题，25 分钟）

二、**听力结束后，有 5 分钟填写答题卡。**

三、全部考试约 105 分钟（含考生填写个人信息时间 5 分钟）。

中国　北京　　　　孔子学院总部/国家汉办　编制

一、听 力

第一部分

第 1-10 题：判断对错。

例如：我想去办个信用卡，今天下午你有时间吗？陪我去一趟银行？

★ 他打算下午去银行。　　（ √ ）

现在我很少看电视，其中一个原因是，广告太多了，不管什么时间，也不管什么节目，只要你打开电视，总能看到那么多的广告，浪费我的时间。

★ 他喜欢看电视广告。　　（ × ）

1. ★ 爱情不是生命的全部。　　（　　）
2. ★ 人们的性格各不相同。　　（　　）
3. ★ 做计划当然要很详细。　　（　　）
4. ★ 他要联系黄大夫。　　（　　）
5. ★ 儿子正在写作业。　　（　　）
6. ★ 他想找个合适的会议室。　　（　　）
7. ★ 他叔叔是医生。　　（　　）
8. ★ 房间已经打扫干净了。　　（　　）
9. ★ 那家杂志社在招人。　　（　　）
10. ★ 今天是阴天。　　（　　）

第二部分

第 11-25 题：请选出正确答案。

例如：女：该加油了，去机场的路上有加油站吗？

男：有，你放心吧。

问：男的主要是什么意思？

A 去机场　　B 快到了　　C 油是满的　　D 有加油站 √

11\. A 借钱　　B 卖饼干　　C 找钥匙　　D 打印文章

12\. A 汤　　B 咖啡　　C 葡萄酒　　D 牛奶糖

13\. A 游泳　　B 画画儿　　C 上钢琴课　　D 打羽毛球

14\. A 出差　　B 爬长城　　C 去医院　　D 照顾奶奶

15\. A 最近很忙　　B 可以教他　　C 会打网球　　D 动作不标准

16\. A 寄信　　B 别迟到　　C 要仔细　　D 写总结

17\. A 再加一列　　B 再算一遍　　C 减少字数　　D 继续申请

18\. A 药店　　B 图书馆　　C 火车站　　D 大使馆

19\. A 下雪了　　B 答案错了　　C 观众很少　　D 那个球没进

20\. A 别生气　　B 别理短发　　C 戴上帽子　　D 裤子太长

21. A 服务员 B 白师傅 C 马经理 D 关教授

22. A 毛巾很脏 B 窗户脏了 C 伞修好了 D 袜子破了

23. A 爱开玩笑 B 护照丢了 C 还没到北京 D 没有听广播

24. A 去跳舞了 B 弄错地址了 C 遇到同学了 D 去看演出了

25. A 数量很少 B 还没整理 C 全是风景照 D 都是老照片

第三部分

第 26-45 题：请选出正确答案。

例如：男：把这个材料复印 5 份，一会儿拿到会议室发给大家。

女：好的。会议是下午三点吗？

男：改了。三点半，推迟了半个小时。

女：好，602 会议室没变吧？

男：对，没变。

问：会议几点开始？

A 两点　　B 3 点　　C 15：30 √　　D 18：00

26. A 空调　　B 冰箱　　C 家具　　D 传真机

27. A 是博士　　B 要去留学　　C 放暑假了　　D 找到工作了

28. A 交通方便　　B 空气新鲜　　C 适合购物　　D 冬天很冷

29. A 亲戚　　B 邻居　　C 导游　　D 记者

30. A 房租贵　　B 很凉快　　C 入口太窄　　D 顾客不多

31. A 网上　　B 黑板上　　C 飞机上　　D 电梯里

32. A 不抽烟　　B 喜欢京剧　　C 符合条件　　D 爱好音乐

33. A 太累了　　B 天气不好　　C 来客人了　　D 男的生病了

34. A 手表　　B 词典　　C 行李箱　　D 照相机

35.	A 兴奋	B 失望	C 满意	D 饿了
36.	A 工资低	B 缺少力气	C 经常感冒	D 妻子很懒
37.	A 结婚了	B 很美丽	C 是警察	D 喜欢做生意
38.	A 感动	B 得意	C 不高兴	D 很正常
39.	A 开饭馆儿	B 多交朋友	C 改变环境	D 主动适应别人
40.	A 道歉	B 找人商量	C 直接拒绝	D 要考虑一下
41.	A 别太粗心	B 不要激动	C 对人要友好	D 要学会说“不”
42.	A 身体健康	B 和朋友逛街	C 与家人散步	D 收到邀请信
43.	A 别害怕竞争	B 要有判断力	C 多鼓励孩子	D 多与家人交流
44.	A 有酸有甜	B 非常轻松	C 其实很奇怪	D 每天都很精彩
45.	A 要互相理解	B 要关心社会	C 要有同情心	D 自己快乐就好

二、阅 读

第一部分

第46-50题：选词填空。

A 镜子　　B 密码　　C 篇　　D 坚持　　E 陪　　F 成熟

例如：她每天都（　D　）走路上下班，所以身体一直很不错。

46．和同龄人相比，他看上去更（　　）一些。

47．他就是这（　　）小说的作者，现在读大学三年级。

48．怎么办呢？我忘记这张银行卡的（　　）了，你们俩有什么办法？

49．真正的朋友应该像（　　），能够帮你照见自己的缺点。

50．有时候，吃完晚饭，爸爸会（　　）着爷爷奶奶去附近的公园走走。

第 51-55 题：选词填空。

A 质量　　B 最好　　C 温度　　D 干　　E 逛　　F 厉害

例如：A：今天真冷啊，好像白天最高（ C ）才 2℃。

B：刚才电视里说明天更冷。

51．A：你这双鞋在哪儿买的？看上去（　　）不错。

B：我也不知道，我爱人给我买的。

52．A：妈，您觉得老虎和狮子哪个更（　　）？

B：可能是老虎吧。

53．A：喂，你现在在哪儿呢？

B：我和同事在外面（　　）街呢，马上就回去。

54．A：我们下午 5 点出发去首都机场来不及吧？

B：是，今天正好是周末，可能会堵车，（　　）早点儿出发。

55．A：你在（　　）什么呢？

B：我上网看看，我想换个新的笔记本电脑，你觉得红色的怎么样？

第二部分

第56-65题：排列顺序。

例如：A 可是今天起晚了

B 平时我骑自行车上下班

C 所以就打车来公司　　　　B A C

56．A 每当给小孩子打针时

B 王护士经验丰富

C 她都会有很多办法引开孩子的注意力　　　　________

57．A 直到今天，我们仍然都很注意这一点

B 这使得我们养成了节约的习惯

C 母亲从小就教育我和弟弟妹妹不要浪费　　　　________

58．A 从我们这次的调查结果来看

B 课前预习和课后复习是必不可少的

C 有近70%的学生认为　　　　________

59．A 《将爱情进行到底》，2月14日与您相约

B 那么，再来看一场爱情电影吧

C 是不是觉得情人节光送巧克力还不够浪漫　　　　________

60. A 它不仅能按照人的要求做一些简单的动作

B 那只小猴子很聪明

C 例如握手、鼓掌等，还会使用一些简单的工具 ____________

61. A 一生当中，我们会遇到许多机会

B 但问题是，当它来到你身边时

C 你是不是已经做好了准备 ____________

62. A 但我还是一眼就认出了他

B 虽然毕业以后我们有 20 多年没见面了

C 因为他的样子几乎没什么变化 ____________

63. A 我哥哥出生在晚上

B 所以他的名字叫王月

C 那天晚上的月亮又大又圆 ____________

64. A 你从厨房的窗户向外看

B 就能看到花园

C 还能看到门口的两棵苹果树 ____________

65. A 参加讨论的时候

B 另一方面也要认真听别人的意见，理解他人的想法

C 一方面要把自己的看法准确地表达出来 ____________

第三部分

第66-85题：请选出正确答案。

例如：她很活泼，说话很有趣，总能给我们带来快乐，我们都很喜欢和她在一起。

★ 她是个什么样的人？

A 幽默 √　B 马虎　C 骄傲　D 害羞

66．要想过得快乐，就应该记住该记住的，忘记该忘记的；改变能改变的，接受不能改变的。

★ 这段话主要谈什么？

A 要有礼貌　B 生活态度　C 数学最重要　D 语言的艺术

67．人们常说，不管别人说什么，我只相信自己眼睛看见的东西。其实，眼睛也可能会骗人，有时候实际情况并不像我们看见的那样。

★ 这段话告诉我们：

A 不能难过　B 要多阅读　C 眼睛会骗人　D 要按时检查身体

68．感谢支持你的人，也要感谢反对你的人。因为支持的声音能让我们获得前进的信心，而反对的声音可以让我们更清楚地认识到自己的缺点，找到努力的方向。

★ 这段话告诉我们要：

A 积累经验　B 有怀疑精神　C 感谢反对者　D 向失败者学习

69．早上我刚推开办公室的门进去，同事们就大笑起来，小张走上前来告诉我："你今天穿的衣服比较特别。"我低头看了一眼，才发现原来是我早上急着出门，竟然把衣服穿反了。

★ 他今天：

A 要去约会　B 被表扬了　C 出门很着急　D 忘戴眼镜了

70.《公共汽车、电车车票使用办法》规定：身高不满 1.2 米的儿童乘车时可以免票。

★ 身高不超过 1.2 米的儿童坐车时：

A 免费　　B 都很紧张　　C 车票打折　　D 不能带食品

71. 人们往往只看见别人成功时获得的鲜花和掌声，却很少去注意别人在取得成功之前流下的汗水。

★ 人们很少注意到：

A 自己的优点　B 自己的责任　C 别人的批评　D 别人的努力

72. 海南的气候条件很特别，一年四季都让人感觉暖和、湿润。即使是冬天，你也能看到遍地鲜花，所以海南有“四时常花，长夏无冬”的说法。

★ 海南：

A 四季如春　　B 秋天很长　　C 没有森林　　D 空气湿润

73. 很久以前，中国人认为做梦是上天要告诉他们将来会发生的一些事情，因此他们试着对各种梦做出解释。例如一个人梦到很多水，说明他将会有很大一笔收入。后来，他们把这些解释写成了一本书，叫做《周公解梦》。

★ 关于《周公解梦》，可以知道：

A 很复杂　　B 特别无聊　　C 赚了很多钱　　D 解释了很多梦

74. 你从前面这个天桥上过去，去对面，然后向右走大约 500 米，就可以看到那个菜市场。

★ 那个菜市场：

A 很有名　　B 在路对面　　C 离家很远　　D 在超市左边

75. 每年有成千上万的高中毕业生报名参加艺术考试，他们中很多人都抱着成为著名演员的理想，但其实大部分考生并不清楚表演究竟是什么。

★ 根据这段话，很多考生：

A 年龄很大　　B 成绩优秀　　C 不理解表演　　D 对游戏有兴趣

76. 有经验的司机对当地的道路情况都非常熟悉，他们知道一天的每个时段什么地方可能堵车，提前出发或者少走这些路段，就可以节约很多时间。

★ 根据这段话，经验丰富的司机：

A 熟悉路况　　B 对人热情　　C 往往很诚实　　D 开车速度快

77. 随着科学技术的发展，距离对人与人之间交流的影响越来越小了，只要打个电话或者发个电子邮件，就能联系到千里之外的人。

★ 科技发展带来的好处是：

A 减少误会　　B 减少污染　　C 交流更方便　　D 增加安全感

78. 年轻有很多好处，而最大的好处是可以不怕失败。因为将来的路还很长，只要不放弃，完全有机会重新再来。

★ 为什么说年轻人可以不怕失败？

A 主意多　　B 很少后悔　　C 能重新开始　　D 有父母帮助

79. 中国人常说："友谊第一，比赛第二。"很多时候，在比赛中输赢不是最重要的，增进友谊才是主要目的。

★ 怎样理解"友谊第一，比赛第二"？

A 要变得勇敢　　B 赢才是关键　　C 友谊更重要　　D 要重视方法

80-81.

我们小时候都听过美人鱼的故事。其实真正的海底世界比故事里写的还要有趣。科学研究发现，海洋底部看起来非常安静，然而却不是一点儿声音也没有，海底的动物们一直在"说话"，只不过人的耳朵是听不到的。另外，海底也不是黑暗的，许多鱼会发出各种颜色的亮光，像一个个流动的灯，美极了。

★ 说话人认为海底世界怎么样？

A 很有趣　　B 十分危险　　C 没有水草　　D 需要保护

★ 研究发现，许多生活在海底的鱼：

A 很孤单　　B 会发光　　C 喜欢热闹　　D 极其聪明

82-83.

他向她求婚时，只说了三个字："相信我。"她生下女儿的时候，他对她说："辛苦了。"女儿结婚那天，他对她说："还有我。"他收到她病危通知的那天，不停地对她说："我在这儿。"她要走的那一刻，他在她耳边轻声说："你等我。"这一生，他没对她说过一次"我爱你"，但爱，从来没有离开过。

★ 根据"病危通知"，可以知道他妻子：

A 已经醒了　B 脾气很大　C 被人骗了　D 病得很严重

★ 这段话主要讲什么？

A 什么是爱　B 民族特点　C 要原谅别人　D 要经常说谢谢

84-85.

永远不要小看一个减肥成功的女人，因为这说明她有着一般人不能比的耐心，可以拒绝常人不能拒绝的美食。一个减肥的女人，必须限制进食，坚持锻炼，拒绝一切能让自己长胖的美味和热量。她如果把这种耐心用在情场和职场上，一定会获得很大的成功。

★ 减肥需要拒绝什么？

A 运动　B 美食　C 压力　D 睡懒觉

★ 根据这段话，成功减肥的女人：

A 个子矮　B 不冷静　C 值得尊重　D 喜欢打扮

三、书 写

第一部分

第 86-95 题：完成句子。

例如：那座桥　800 年的　历史　有　了

　　那座桥有 800 年的历史了。

86．我们　完成任务　保证　按时

87．欢迎　那个　法律节目　很　受

88．真　及时　下得　这场雨

89．翻译　得　不对　这个句子

90．每个人　别人的尊重　都　希望获得

91．饮料　火车上　不提供　免费的

92．弄脏了　她　把　裙子

93．地球是　共同的　家　我们

94．这个消息　大吃一惊　让　都　所有人

95．提高　表达能力　坚持写日记　对　有好处

第二部分

第96-100题：看图，用词造句。

例如： 乒乓球 她很喜欢打乒乓球。

96.  起飞

97.  香

98.  公里

99.  躺

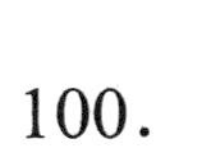

100.  讨论

H41221 卷听力材料

（音乐，30 秒，渐弱）

大家好！欢迎参加 HSK（四级）考试。
大家好！欢迎参加 HSK（四级）考试。
大家好！欢迎参加 HSK（四级）考试。

HSK（四级）听力考试分三部分，共 45 题。
请大家注意，听力考试现在开始。

第一部分

一共 10 个题，每题听一次。

例如：我想去办个信用卡，今天下午你有时间吗？陪我去一趟银行？
★ 他打算下午去银行。

现在我很少看电视，其中一个原因是，广告太多了，不管什么时间，也不管什么节目，只要你打开电视，总能看到那么多的广告，浪费我的时间。
★ 他喜欢看电视广告。

现在开始第 1 题：

1．爱情是照亮生活的阳光，但不应该成为我们生命的全部。
★ 爱情不是生命的全部。

2．世界上没有两个性格完全相同的人，这就像世界上没有完全相同的叶子一样。
★ 人们的性格各不相同。

3．不管做什么事情，提前做计划总是好的。每一步应该做什么、怎么做，不用安排得特别详细，但必须有一个大概的想法。
★ 做计划当然要很详细。

4．麻烦你帮我查一下黄大夫的手机号码，我有事情要找她，但是我现在没有她的电话号码。
★ 他要联系黄大夫。

5．知道你今天回家，儿子一直吵着说要等你回来，怎么也不愿意去睡觉。结果实在太困了，在沙发上就睡着了。
★ 儿子正在写作业。

6．这个会议室太小，座位不够，恐怕得换个大一点儿的，你一会儿去问问旁边那个大会议室星期六有没有人用。
★ 他想找个合适的会议室。

7．别担心，我叔叔是律师，这个问题他应该可以提供一些比较专业的意见，我帮你问问，有消息我就告诉你。
★ 他叔叔是医生。

8．刚刚搬完家，还没来得及收拾，房间里挺乱的，你随便找个地方坐吧，我去给你拿瓶饮料。
★ 房间已经打扫干净了。

9．昨天我在报纸上看见一家杂志社在招聘高级翻译，要硕士，给出的条件还不错，你要不要去试一试？
★ 那家杂志社在招人。

10．今天天气真好，雨停了，太阳出来了，虽然在刮风，但是一点儿也不冷，非常适合去爬山。
★ 今天是阴天。

第二部分

一共 15 个题，每题听一次。

例如：女：该加油了，去机场的路上有加油站吗？
男：有，你放心吧。
问：男的主要是什么意思？

现在开始第 11 题：

11．男：我带的钱不够，你能不能先借我一点儿，我明天还你。
女：没问题。高老师，您要多少？
问：男的在做什么？

12．女：这个鸡蛋汤味道怎么样？你尝一下？
男：我尝了，稍微有点儿咸，是盐放多了吧？
问：他们在谈什么？

13．男：我不想去上钢琴课了。
女：为什么？你不是很喜欢弹钢琴吗？而且还弹得那么好。
问：男的不想做什么？

14．女：经理，打扰您一下，我明天要去趟医院，我想请一天假可以吗？
男：当然可以，怎么了？身体不舒服？
问：女的请假要做什么？

15．男：你乒乓球打得真不错，有时间能教教我吗？
女：没问题。我每周六都会来体育馆，到时候你来找我就行了。
问：女的是什么意思？

16．女：明天早上八点半在东门集合，别迟到啊！
男：放心吧，我一定准时到。
问：女的提醒男的什么？

17．男：孙小姐，表格我做好了，您看看有什么问题没。
女：刚才忘和你说了，还要再加上一列“性别”。
问：女的要求怎么做？

18．女：明天中午我们一起出去吃饭吧，我请客。
男：啊？抱歉，明天我要去大使馆拿签证，不知道中午能不能回来。
问：男的明天要去哪儿？

19．男：真可惜，这个球差一点点就踢进了。
女：是呀，还剩一分钟了，马上就结束了，估计没机会再进球了。
问：根据对话，下列哪个正确？

20．女：现在流行短发，我也去理个短发，你看怎么样？
男：短发？我觉得你还是留长头发好看。
问：男的是什么意思？

21．男：校长，您找我？
女：是，我这儿有一份材料，麻烦你替我跑一趟，给关教授送过去。
问：这份材料要送给谁？

22．女：窗户很长时间没擦了，太脏了。
男：你别管了，先好好休息吧，明天上午我来擦。
问：根据对话，下列哪个正确？

23．男：喂，我的航班推迟了，我大概要中午一点才能到北京。
女：没关系，我去机场接你。
问：关于男的，可以知道什么？

24. 女：怎么现在才回来？今天又加班了？
男：不是，今天在公司遇到一个大学同学，聊了一会儿，然后跟他一起吃了顿饭。
问：男的为什么回来晚了？

25. 男：姐，这么多照片，都是你这次旅游时照的？
女：不全是，有些是以前照的，我打算整理一下。
问：关于这些照片，下列哪个正确？

第三部分

一共 20 个题，每题听一次。

例如：男：把这个材料复印五份，一会儿拿到会议室发给大家。
女：好的。会议是下午三点吗？
男：改了。三点半，推迟了半个小时。
女：好，六零二会议室没变吧？
男：对，没变。
问：会议几点开始？

现在开始第 26 题：

26. 女：咱们家这个空调太旧了。
男：是，制冷效果不太好了。
女：那咱们星期六去商店看看，买一台新的？
男：行。
问：他们打算买什么？

27. 男：你工作找得怎么样了？
女：挺顺利的，已经定下来了。
男：太好了！祝贺你！什么时候正式上班？
女：七月九号。
问：关于女的，可以知道什么？

28. 女：快放寒假了，你有什么安排？
男：我打算去东北玩儿。
女：东三省？那儿冬天多冷啊！你怎么会想去那儿玩儿？
男：冷是冷，可是那儿冬天也很漂亮。
问：女的觉得东北怎么样？

29．男：这个盒子好像坏了。
女：是吗？那你小心点儿，先放桌上吧。
男：这里面是什么啊？
女：是几个杯子，是以前邻居家一个阿姨送我的。
问：杯子是谁送的？

30．女：我们在这儿开个分店怎么样？
男：我刚才也在考虑，周围很多写字楼，但没几家饭店。
女：估计房租不便宜。
男：咱们先了解一下，然后再决定到底要不要开。
问：女的觉得这儿怎么样？

31．男：这个笑话确实有意思，你在哪里看到的？
女：有一个网站，里面有很多有趣的笑话。
男：你把网址发给我，我也去看看。
女：好的。
问：那个笑话是在哪儿看到的？

32．女：你怎么会喜欢看京剧呢？
男：小时候，爷爷差不多每个月都带我去看一次京剧。
女：京剧的内容大多是历史故事，你能看懂？
男：爷爷会一边看一边给我介绍，让我学了很多知识。
问：关于男的，可以知道什么？

33．男：喂？我刚看电视上说今天有大雨，咱们改天再去植物园吧。
女：好啊，那明天怎么样？
男：明天恐怕也不行，明天是我爸的生日。
女：没关系，那我们再约时间。
问：他们为什么今天不去植物园了？

34．女：你看见我的手表没？
男：没有，是不是忘在宾馆了？
女：不会，肯定没忘在宾馆，我印象里上车的时候还戴着呢。
男：那看看在不在你包里，不会丢在出租车上吧？
问：女的在找什么？

35．男：你怎么了？
女：我们本来说明天提前放假的，刚才突然又说有变化，让等通知。
男：那就等一等好了，也许一会儿就有好消息了。
女：也只好这样了。
问：女的现在感觉怎么样？

第36到37题是根据下面一段话：

两个女人在聊天儿，一个问："你儿子还好吧？"另一个说："他很可怜，他妻子太懒，不做饭，不洗衣服，连孩子也不带。""那女儿呢？""她生活得很好。"女人笑了："她找了个好丈夫，家里的事都由她先生做。"

36．那个女人为什么觉得儿子可怜？

37．关于女儿，可以知道什么？

第38到39题是根据下面一段话：

不要总是想着去改变你身边的人，要学会去适应别人。要知道，改变一个人很困难，也不容易被人接受。如果别人总是想改变你，你会高兴吗？相反，如果大家都学会去适应别人，那么生活会更美好，人的心情也会更愉快。

38．如果别人总是想改变你，你会觉得怎么样？

39．根据这段话，怎样才能让生活更美好？

第40到41题是根据下面一段话：

努力把事情做到最好，这无疑是对的。不过，当别人请你帮忙时，对那些超出自己能力范围的事情，最好还是先考虑考虑。否则，最后事情没办成，不仅自己觉得丢脸，而且别人有可能不再信任你。

40．别人请你做的事情太难时，你该怎么办？

41．这段话主要想告诉我们什么？

第42到43题是根据下面一段话：

晚饭后，一家人一起出去散散步，是一件很幸福的事情。肚子吃饱了需要活动，家人忙了一天需要交流，夫妻说说一天的工作能加深感情，孩子谈谈学校的趣事能增加了解，在这个过程中，一天的烦恼就都跑掉了。

42．说话人觉得什么事情很幸福？

43．这段话主要想告诉我们什么？

第44到45题是根据下面一段话：

人一生中会遇到很多事情，或者愉快，或者伤心，都只能由自己去经历，其他任何人都无法代替。生活是自己在过，其中的酸、甜、苦、辣也只有自己知道，别人说什么不重要，自己感觉快乐就行了。

44．关于生活，可以知道什么？

45．这段话主要想告诉我们什么？

听力考试现在结束。

H41221 卷答案

一、听 力

第一部分

1. √	2. √	3. ×	4. √	5. ×
6. √	7. ×	8. ×	9. √	10. ×

第二部分

11. A	12. A	13. C	14. C	15. B
16. B	17. A	18. D	19. D	20. B
21. D	22. B	23. C	24. C	25. B

第三部分

26. A	27. D	28. D	29. B	30. A
31. A	32. B	33. B	34. A	35. B
36. D	37. A	38. C	39. D	40. D
41. D	42. C	43. D	44. A	45. D

二、阅 读

第一部分

46. F	47. C	48. B	49. A	50. E
51. A	52. F	53. E	54. B	55. D

第二部分

56. BAC	57. CBA	58. ACB	59. CBA	60. BAC
61. ABC	62. BAC	63. ACB	64. ABC	65. ACB

第三部分

66. B	67. C	68. C	69. C	70. A
71. D	72. D	73. D	74. B	75. C
76. A	77. C	78. C	79. C	80. A
81. B	82. D	83. A	84. B	85. C

三、书 写

第一部分

86．我们保证按时完成任务。
87．那个法律节目很受欢迎。
88．这场雨下得真及时！
89．这个句子翻译得不对。
90．每个人都希望获得别人的尊重。
91．火车上不提供免费的饮料。
92．她把裙子弄脏了。
93．地球是我们共同的家。
94．这个消息让所有人都大吃一惊。
95．坚持写日记对提高表达能力有好处。

第二部分

（参考答案）

96．飞机已经起飞了。
97．这些花好香啊！
98．他每天早上都要跑两公里。
99．躺着看书对眼睛不好。
100．她们在讨论明天的事情。

孔子学院总部/国家汉办
Confucius Institute Headquarters(Hanban)

汉 语 水 平 考 试

HSK（四级）

H41222

注　意

一、HSK（四级）分三部分：

　1．听力（45 题，约 30 分钟）

　2．阅读（40 题，40 分钟）

　3．书写（15 题，25 分钟）

二、**听力结束后，有 5 分钟填写答题卡**。

三、全部考试约 105 分钟（含考生填写个人信息时间 5 分钟）。

中国　北京　　　　孔子学院总部/国家汉办　编制

一、听 力

第一部分

第 1-10 题：判断对错。

例如：我想去办个信用卡，今天下午你有时间吗？陪我去一趟银行？

★ 他打算下午去银行。（ √ ）

现在我很少看电视，其中一个原因是，广告太多了，不管什么时间，也不管什么节目，只要你打开电视，总能看到那么多的广告，浪费我的时间。

★ 他喜欢看电视广告。（ × ）

1．★ 他不愿意走楼梯。（ ）

2．★ 那本小说他读完了。（ ）

3．★ 秋季不适合去黄山。（ ）

4．★ 他不想去那家饭店。（ ）

5．★ 飞机就要起飞了。（ ）

6．★ 他不想再乱买东西了。（ ）

7．★ 幸福是件很简单的事情。（ ）

8．★ 成功能增加信心。（ ）

9．★ 他决定离开北京。（ ）

10．★ 想重新获得信任很难。（ ）

第二部分

第 11-25 题：请选出正确答案。

例如：女：该加油了，去机场的路上有加油站吗？

男：有，你放心吧。

问：男的主要是什么意思？

A 去机场　B 快到了　C 油是满的　D 有加油站 √

11. A 爬山　B 游泳　C 打网球　D 参观长城

12. A 来送相机　B 喜欢表演　C 丢了手表　D 在整理材料

13. A 口渴　B 坐地铁去　C 放暑假了　D 会踢足球

14. A 加班　B 看电视　C 洗袜子　D 打扫房间

15. A 铅笔断了　B 要打印材料　C 太阳出来了　D 演出开始了

16. A 在复习　B 想借字典　C 还没交作业　D 写错答案了

17. A 校长　B 护士　C 售货员　D 汉语老师

18. A 公司对面　B 公园东边　C 银行后面　D 学校旁边

19. A 生气了　B 出汗了　C 没上班　D 没带钥匙

20. A 很厚　B 弄坏了　C 收词多　D 能听广播

21. A 杂志 B 成绩单 C 报名表 D 日记本

22. A 没力气了 B 方向不对 C 完成任务了 D 暂时去不了

23. A 很脏 B 发烧了 C 没精神 D 肚子饿了

24. A 还没举行 B 非常热闹 C 让人失望 D 开得很顺利

25. A 吃饱了 B 饺子不咸 C 面包很硬 D 菜不好吃

第三部分

第 26-45 题：请选出正确答案。

例如：男：把这个材料复印 5 份，一会儿拿到会议室发给大家。

女：好的。会议是下午三点吗？

男：改了。三点半，推迟了半个小时。

女：好，602 会议室没变吧？

男：对，没变。

问：会议几点开始？

A 两点　　B 3 点　　C 15：30 √　　D 18：00

26. A 太旧了　　B 太贵了　　C 有点儿吵　　D 交通不便

27. A 法律　　B 教育　　C 经济　　D 中文

28. A 很优秀　　B 数学差　　C 去面试了　　D 想做生意

29. A 理发　　B 买牙膏　　C 看亲戚　　D 扔垃圾

30. A 腿疼　　B 没睡醒　　C 输了比赛　　D 咳嗽很厉害

31. A 妈妈　　B 奶奶　　C 妹妹　　D 邻居

32. A 填表格　　B 修空调　　C 弹钢琴　　D 买报纸

33. A 宾馆　　B 大使馆　　C 火车站　　D 爷爷家

34. A 记者　　B 警察　　C 服务员　　D 出租车司机

35. A 不好用 B 颜色暗 C 很高级 D 很便宜

36. A 好动 B 爱画画儿 C 害怕孤单 D 没有烦恼

37. A 多阅读 B 严格要求 C 少做游戏 D 让他们感兴趣

38. A 刮风了 B 空气干燥 C 戴眼镜太久 D 长时间用电脑

39. A 打针 B 少吃糖 C 注意休息 D 多吃水果

40. A 很懒 B 很浪费 C 会打扮 D 生活得很舒服

41. A 要有理想 B 不要骄傲 C 要懂得感谢 D 学会怎样花钱

42. A 感情更深 B 需要表达 C 很少变化 D 以结婚为目的

43. A 支持他 B 尊重他 C 对他有耐心 D 接受他的缺点

44. A 很得意 B 很新鲜 C 很感动 D 很无聊

45. A 很帅 B 留过学 C 不抽烟 D 不敢吃辣

二、阅 读

第一部分

第 46-50 题：选词填空。

A 却　　B 准时　　C 留　　D 坚持　　E 轻松　　F 号码

例如：她每天都（　D　）走路上下班，所以身体一直很不错。

46. 明天早上 8 点（　　）出发，千万别迟到。

47. 在中国，手机（　　）一般由 11 个数字组成。

48. 真奇怪，我从来没有来过这儿，（　　）对这里有种熟悉的感觉。

49. 那位女演员给我们（　　）下了很深的印象。

50. 昨天的乒乓球比赛他赢得非常（　　）。

第51-55题：选词填空。

A 来得及　B 困难　C 温度　D 申请　E 收　F 座位

例如：A：今天真冷啊，好像白天最高（ C ）才2℃。

B：刚才电视里说明天更冷。

51．A：小云，你今年夏天就毕业了吧？找到工作了吗？

B：没有，我已经（　　）了奖学金，打算出国读博士。

52．A：我把那篇文章发到你邮箱里了，你（　　）到了吗？

B：我刚刚才看了邮箱，没有新邮件。你什么时候发的？

53．A：对不起，这个问题我还要再考虑一下，明天告诉你晚不晚？

B：好的，没问题，（　　）。

54．A：我在网上买电影票呢，你要坐第几排？

B：我想要中间的（　　）。

55．A：小张，你有什么意见？

B：按照现在的速度，想要在规定时间内完成计划，好像有点儿（　　）。

第二部分

第 56-65 题：排列顺序。

例如：A 可是今天起晚了

B 平时我骑自行车上下班

C 所以就打车来公司　　　　B A C

56. A 并且越下越大，一点儿要停的意思都没有

B 没想到半路上突然就下雨了

C 我们出门的时候，天气还很好　　　　＿＿＿＿

57. A 我们全家就搬到了这儿

B 9 岁那年，我父亲换了新的工作

C 我出生在北方的一个小城市　　　　＿＿＿＿

58. A 集合时间提前到 7 点，地点不变

B 大家注意一下，刚才接到通知

C 还是在体育馆门前　　　　＿＿＿＿

59. A 听到这个消息

B 大家都为他感到高兴

C 弟弟顺利地通过了研究生入学考试　　　　＿＿＿＿

60. A 那些店里卖的东西都还不错，有空儿你可以去逛逛

B 宽街是北京一条很有名的街道

C 街道两边都是一些小商店 ____________

61. A 任何失败都是暂时的，只要不放弃希望

B 我叔叔经常对我说

C 总会有成功的那一天 ____________

62. A 他是我大学时的同学

B 毕业后我们就再也没联系过

C 没想到中午我去取护照时竟然遇到他了 ____________

63. A 每个班大约 30 名学生，如果大家都去春游的话

B 我们年级一共 6 个班

C 这几辆车恐怕坐不下 ____________

64. A 后来他见我做得很好，才逐渐改变了自己的看法

B 我爱人当时反对我选择这个职业

C 他觉得这个工作太辛苦了 ____________

65. A 每次她发了工资

B 第一件事就是跑到书店去买书

C 孙小姐特别爱看书 ____________

第三部分

第66-85题：请选出正确答案。

例如：她很活泼，说话很有趣，总能给我们带来快乐，我们都很喜欢和她在一起。

★ 她是个什么样的人？

A 幽默 √　B 马虎　C 骄傲　D 害羞

66. 人不能总是活在回忆里，因为过去的已经不可能改变了，但我们的生活仍然要继续。只有今天积极地学习和工作，明天才会更美好。

★ 这段话主要想告诉我们：

A 要勇敢　B 今天最重要　C 应多鼓励自己　D 说话别太直接

67. 《人与自然》这个节目一直很受欢迎。通过这个节目，观众不但能学到很多自然科学知识，还可以看到许多美丽的自然风景。

★《人与自然》这个节目：

A 值得看　B 广告多　C 不够精彩　D 主要介绍气候

68. 管理是一门艺术，仅是批评不会有好的效果。因此，平时交流要多加注意，要了解每个人的脾气、性格、能力等，这样才能在他们出错时选择合适的方法解决问题。

★ 这段话想告诉我们，了解人们的脾气可以：

A 变得友好　B 获得表扬　C 增进友谊　D 提高管理水平

69. 许多女孩子每到约会的时候，就会觉得自己没有衣服穿，对着镜子换了许多件都觉得不满意，即使平时看起来很漂亮的衣服这时也会觉得很一般。

★ 很多女孩子约会前，会觉得：

A 很困　B 太麻烦　C 缺少衣服　D 特别兴奋

70．年轻人多经历一些困难并不是坏事，相反，这些困难还能使自己得到锻炼。遇到困难应该主动去想办法解决，而不能总是等着别人来帮忙。

★ 遇到困难时，应该：

A 鼓掌　　B 冷静下来　　C 主动想办法　　D 与朋友讨论

71．很多人爱吃巧克力，尤其是女性。这是为什么呢？首先，巧克力大多是甜的，而很多女性都喜欢吃甜食；其次，难过的时候，吃块儿巧克力，能使人的心情变得愉快。

★ 根据这段话，女性喜欢吃巧克力的原因有：

A 味道好　　B 样子好看　　C 代表爱情　　D 减肥效果好

72．每个人都有不同的减压方法，当我感觉压力大时，我会去打打羽毛球或者篮球。我觉得这种方法比较健康，既能减轻压力，又能锻炼身体。

★ 压力大时，他会：

A 唱歌　　B 运动　　C 跳舞　　D 找同事聊天儿

73．我们常用“一问三不知”来表示一个人什么都不知道。可是，这“三不知”究竟是指哪三个不知道呢？原来，这“三不知”是指不知道一件事情发生的原因、经过和结果。

★ “一问三不知”是什么意思？

A 不合格　　B 很久没见面　　C 练习很多遍　　D 什么都不知道

74．小高，我仔细看了一下，他们这次招聘的要求虽然高，但是那些条件你都符合，你应该去试试。

★ 说话人想让小高：

A 接受邀请　　B 组织活动　　C 降低要求　　D 去参加招聘

75．塑料袋确实很方便，但是它的大量使用也带来了严重的环境污染问题。我们每个人都有责任保护环境，因此，大家要节约使用塑料袋。

★ 大量使用塑料袋，会：

A 吸引顾客　　B 污染环境　　C 影响心情　　D 增加收入

76. 中国人常说“父母在，不远游。”意思是说当父母还活着的时候，儿女不要到太远的地方工作或者生活，最好能离家近一点儿。这样不仅能方便儿女照顾父母，还能减少父母对儿女的担心。

★ 根据这段话，儿女应该：

A 更热情　　B 互相关心　　C 多照顾父母　　D 陪父母购物

77. 人应该有怀疑精神，自己不花时间去想，就完全相信并且接受书上写的所有内容，这是不对的，因为书上的知识并不总是正确的。

★ 根据这段话，读书：

A 必须预习　　B 要有重点　　C 要多总结　　D 要有怀疑精神

78. 从小到大，我只见过一场雪。那是 1994 年的冬天，那场雪下得特别大。大家都很激动，于是都跑到外面去玩儿雪。因为在我们南方，即使冬天也很少下雪，更不用说那么大的雪。

★ 说话人：

A 很活泼　　B 很浪漫　　C 是南方人　　D 在农村长大

79. 葡萄酒是用新鲜的葡萄或者葡萄汁制造的饮料，一般分为两种：红葡萄酒和白葡萄酒。前者制造时带有葡萄皮，而后者需要去掉皮。

★ 根据这段话，红葡萄酒：

A 更香　　B 非常酸　　C 颜色很亮　　D 是一种饮料

80-81.

有个人总是买最大号的鞋子穿，别人问他，他就会回答：“既然大鞋小鞋是一样的价格，为什么不买大的？”然而他忘记了一点，不合脚的鞋子会让他一生都不舒服。其实，不管什么，适合自己的才是最好的。

★ 那个人：

A 个子很高　　B 讨厌穿鞋　　C 被人骗了　　D 总穿大号的鞋

★ 这段话主要想告诉我们：

A 不能粗心　　B 合适最重要　　C 要学会拒绝　　D 要养成好习惯

82-83.

以前的人以胖为美，现在的人以瘦为美。尽管随着社会的发展，美女的标准一直在变，但是无论什么时候，美丽的基础都是健康。如果没有了健康，也就没有了美丽。所以，女孩子们在减肥的时候要记得，健康才是第一位的。

★ 以前人们觉得什么样的女孩子更美？

A 胖的　B 成熟的　C 爱笑的　D 安静的

★ 说话人认为：

A 哭很正常　B 健康最关键　C 散步好处多　D 不要羡慕富人

84-85.

幽默是成功者的共同特点之一，也是值得现代人好好学习的一种生活态度。幽默像一把钥匙，能打开人与人之间交流的大门。幽默包括很多方面，最主要的是语言上的幽默，例如讲笑话。一个人在合适的时间讲一个合适的笑话，不仅能证明他是一个聪明人，而且还能拉近与其他人的距离。

★ 幽默：

A 很流行　B 复杂难学　C 能拉近距离　D 就是开玩笑

★ 这段话主要谈的是：

A 要诚实　B 要有礼貌　C 幽默的作用　D 怎样提醒别人

三、书 写

第 一 部 分

第 86-95 题：完成句子。

例如：那座桥　　800 年的　　历史　　有　　了

那座桥有 800 年的历史了。

86. 水　　瓶子里　　的　　满了

87. 将　　我们　　逐渐　　扩大招聘范围

88. 不　　入口处　　停车　　允许

89. 密码　　你爸　　把　　信用卡的　　改了

90. 考生的数量　　增长了　　5 倍　　比去年

91. 应该　　夫妻　　相互　　信任

92. 主要　　这种植物　　生长在　　亚洲

93. 那个座位　　窗户旁边　　吗　　有人

94. 历史教授　　著名的　　是位　　这本书的作者

95. 很多网站　　进行了　　报道　　都对这次活动

第二部分

第 96-100 题：看图，用词造句。

例如： 乒乓球 她很喜欢打乒乓球。

96.   暖和

97.   响

98.   俩

99.  尝

100.  伤心

H41222 卷听力材料

（音乐，30 秒，渐弱）

大家好！欢迎参加 HSK（四级）考试。
大家好！欢迎参加 HSK（四级）考试。
大家好！欢迎参加 HSK（四级）考试。

HSK（四级）听力考试分三部分，共 45 题。
请大家注意，听力考试现在开始。

第一部分

一共 10 个题，每题听一次。

例如：我想去办个信用卡，今天下午你有时间吗？陪我去一趟银行？
★ 他打算下午去银行。

现在我很少看电视，其中一个原因是，广告太多了，不管什么时间，也不管什么节目，只要你打开电视，总能看到那么多的广告，浪费我的时间。
★ 他喜欢看电视广告。

现在开始第 1 题：

1．我家住在七层，只要拿的东西不多，我就不坐电梯，因为我觉得走楼梯可以锻炼身体。
★ 他不愿意走楼梯。

2．黄老师，对不起，您借我的那本小说我还剩最后十几页没看完，我月底前还给您怎么样？
★ 那本小说他读完了。

3．我觉得秋天是去黄山旅游的最好季节，因为这时候天气不冷也不热，很凉快，而且山上的树叶有很多种颜色，绿的、黄的、红的，漂亮极了。
★ 秋季不适合去黄山。

4．那家饭店好是好，但是离这儿太远了，我们中午就在这附近随便找个地方吃吧。
★ 他不想去那家饭店。

5. 各位乘客请注意，请您带好自己的行李，准备好车票，现在开始准备进站。
★ 飞机就要起飞了。

6. 搬家时，我发现了很多以前买的却一次也没用过的东西。扔了吧，觉得可惜；留着吧，估计以后也用不到。我以后再也不乱买东西了。
★ 他不想再乱买东西了。

7. 幸福其实很简单，我觉得一天的工作结束后，洗个热水澡，然后躺在床上看看书，听听音乐，就很幸福。
★ 幸福是件很简单的事情。

8. 我们长大的过程，就是经历一件又一件事情，解决一个又一个问题，在失败中逐渐积累经验，在成功中慢慢获得信心的过程。
★ 成功能增加信心。

9. 我认真考虑了一个晚上，也打电话和父母商量过了，最后还是决定不去那家公司了。我想继续留在北京，看看还有没有别的机会。
★ 他决定离开北京。

10. 别以为做错了事道个歉，说句对不起就行了。因为得到别人的原谅很容易，但要重新获得信任却很难。
★ 想重新获得信任很难。

第二部分

一共 15 个题，每题听一次。

例如：女：该加油了，去机场的路上有加油站吗？
男：有，你放心吧。
问：男的主要是什么意思？

现在开始第 11 题：

11. 男：今天阳光这么好，我们一起去打网球吧。
女：行，我收拾完厨房就去。
问：他们一会儿去做什么？

12. 女：真是太谢谢你了，还专门跑一趟把相机送过来。
男：不客气，我回家正好经过这里，就顺便拿来了。
问：关于男的，下列哪个正确？

13．男：从这儿到国家图书馆远吗？咱们怎么走？
女：坐公交车大概得一个多小时，这会儿肯定堵车，我们还是坐地铁吧。
问：女的是什么意思？

14．女：我想把洗衣机放到洗手间，你别看电视了，过来帮我抬一下。
男：好的，我马上就来。
问：男的正在干什么？

15．男：你这么着急去哪儿啊？我刚才叫你两次你都没听到。
女：我去打印几份材料，上课讨论的时候要用。
问：女的为什么很着急？

16．女：你写完作业了吗？
男：快了，只差几个填空题了，做完我再检查一遍，就可以交了。
问：关于男的，可以知道什么？

17．男：我们店的衬衫和裤子现在都在打折，您看有什么需要的？
女：这条裤子有蓝色的吗？找一条我试试。
问：男的最可能是做什么的？

18．女：这个沙发真不错，很软，坐着很舒服。你在哪儿买的？
男：就在公司对面的家具市场。
问：家具市场在哪儿？

19．男：妈，你下班了吗？我没带钥匙。
女：我很快就到家了，你先在门口等会儿吧。
问：男的怎么了？

20．女：这两个电子词典样子差不多，左边这个怎么这么贵？
男：那是新出的，收的词语更丰富，另外，它还有语法解释，所以贵一些。
问：关于左边的电子词典，下列哪个正确？

21．男：喂，姐，我找到你的成绩单了，给你寄过去吗？
女：你还是发传真吧，我现在就要。
问：男的找到什么了？

22．女：听说你寒假要去山西？
男：是，我本来想放假就走，但恐怕得推迟了，老师让我翻译几篇文章。
问：男的是什么意思？

23．男：小狗是不是生病了？怎么看上去精神不太好。
女：我猜可能是它刚换了新环境，还没有适应，熟悉了就好了。
问：小狗怎么了？

24．女：这次在上海举办的会议，还是你来负责，我会再安排两个人帮助你。
男：好的，经理。
问：关于会议，可以知道什么？

25．男：今天的饺子盐放多了，有点儿咸。
女：是吗？我觉得正好啊，一点儿也不咸。
问：女的是什么意思？

第三部分

一共20个题，每题听一次。

例如：男：把这个材料复印五份，一会儿拿到会议室发给大家。
女：好的。会议是下午三点吗？
男：改了。三点半，推迟了半个小时。
女：好，六零二会议室没变吧？
男：对，没变。
问：会议几点开始？

现在开始第26题：

26．女：上次看的那个房子你租了吗？
男：没有。
女：怎么没租呢？哪儿不合适？
男：我觉得那儿周围有点儿吵，我担心晚上会睡不好觉。
问：男的觉得那个房子怎么样？

27．男：你硕士读的什么专业？
女：法律，国际法。
男：那你是打算将来当律师？
女：不一定，我还是比较喜欢在学校工作，可以的话，我想留校当老师。
问：女的学的是哪个专业？

28．女：哥，今天面试怎么样？
男：还行，刚开始稍微有点儿紧张，后来慢慢就好了。
女：那什么时候可以知道结果？
男：他们说一个星期之内会发邮件通知的。
问：关于男的，下列哪个正确？

29. 男：你知道附近哪儿有理发店吗？
    女：离这儿不远就有一家，挺有名的。
    男：怎么走？你给我指一下路吧。
    女：出了南门向左走大约五百米，就能看到一个黄色的二层楼，理发店就在一层。
    问：男的最可能要做什么？

30. 女：你怎么咳嗽得这么厉害？
    男：可能是感冒了。
    女：去看大夫了吗？
    男：还没，我想下午请个假去医院看看。
    问：根据对话，男的怎么了？

31. 男：怎么忽然想起买花了？
    女：明天是我妈的生日，我想给她一个惊喜。
    男：光送花儿，没有别的礼物？
    女：当然有，我还给她买了一条裙子。
    问：谁要过生日了？

32. 女：先生，能打扰您几分钟吗？
    男：什么事？
    女：我是民族大学的学生，在做社会调查，您能帮我填个表格吗？
    男：可以。是关于什么的调查？
    问：女的请男的做什么？

33. 男：你给大使馆打电话了吗？
    女：打了，上午打的。
    男：他们怎么说？能让别人代取吗？
    女：不行，他们说签证必须自己去拿。
    问：女的上午往哪儿打电话了？

34. 女：师傅，麻烦您开快点儿，我怕时间来不及了。
    男：您几点的飞机啊？
    女：十点二十。
    男：放心，从这儿到机场最多半个小时，保证不会晚。
    问：男的最可能是做什么的？

35. 男：你在做什么呢？
    女：我上网呢，我想买个新的笔记本电脑。
    男：你那台笔记本确实该换了。
    女：是，用了两年了，实在是不好用了。
    问：女的觉得那台笔记本怎么样？

第 36 到 37 题是根据下面一段话：

六到八岁的儿童普遍好动，坐不住，所以老师在教这个年龄段的孩子时，一定要想办法引起他们的兴趣。只有让他们觉得你教的内容有趣，他们才会愿意跟你学，才肯努力地学。

36．六到八岁的儿童有什么特点？

37．怎样才能让他们努力学习？

第 38 到 39 题是根据下面一段话：

我最近右眼总是跳，医生说是因为我长时间对着电脑，眼睛太累。他告诉我用电脑四五十分钟后，就应该休息一下，多向远处看看，尤其是多看看绿色的植物。

38．说话人的眼睛为什么不舒服？

39．医生认为应该怎么做？

第 40 到 41 题是根据下面一段话：

每个人都需要学习怎么花钱。收入再多，乱花钱也会成为月光族。会花钱的人，即使收入不多，也能让自己生活得舒服，甚至还能剩下不少钱。一定要根据实际收入情况来做计划，使每一分钱都花在该花的地方上。

40．说话人认为会花钱的人怎么样？

41．这段话主要谈什么？

第 42 到 43 题是根据下面一段话：

“爱”和“喜欢”有什么区别？我认为“爱”比“喜欢”的意思更深。例如喜欢花儿的人往往会去花店买花儿，而真正爱花儿的人会用心去养花儿；喜欢一个人可能是因为看到了他身上的优点，而爱一个人你会觉得他的缺点也是可爱的。

42．与“喜欢”相比，“爱”有什么特点？

43．说话人认为怎样才算是爱一个人？

第 44 到 45 题是根据下面一段话：

我在国外留学时，有一次在一家中国饭馆儿吃饭，竟然看到放筷子的纸袋上提供了使用筷子的详细说明。头一次看见关于筷子的使用说明，让我觉得非常新鲜。因为对中国人来说，使用筷子实在是再熟悉不过的事了。

44．看到筷子的使用说明，说话人感觉怎么样？

45．关于说话人，可以知道什么？

听力考试现在结束。

H41222卷答案

一、听 力

第一部分

1. ×	2. ×	3. ×	4. √	5. ×
6. √	7. √	8. √	9. ×	10. √

第二部分

11. C	12. A	13. B	14. B	15. B
16. C	17. C	18. A	19. D	20. C
21. B	22. D	23. C	24. A	25. B

第三部分

26. C	27. A	28. C	29. A	30. D
31. A	32. A	33. B	34. D	35. A
36. A	37. D	38. D	39. C	40. D
41. D	42. A	43. D	44. B	45. B

二、阅 读

第一部分

46. B	47. F	48. A	49. C	50. E
51. D	52. E	53. A	54. F	55. B

第二部分

56. CBA	57. CBA	58. BAC	59. CAB	60. BCA
61. BAC	62. ABC	63. BAC	64. BCA	65. CAB

第三部分

66. B	67. A	68. D	69. C	70. C
71. A	72. B	73. D	74. D	75. B
76. C	77. D	78. C	79. D	80. D
81. B	82. A	83. B	84. C	85. C

三、书 写

第一部分

86．瓶子里的水满了。
87．我们将逐渐扩大招聘范围。
88．入口处不允许停车。
89．你爸把信用卡的密码改了。
90．考生的数量比去年增长了5倍。
91．夫妻应该相互信任。
92．这种植物主要生长在亚洲。
93．窗户旁边那个座位有人吗？
94．这本书的作者是位著名的历史教授。
95．很多网站都对这次活动进行了报道。

第二部分

（参考答案）

96．怎么样，现在暖和了吧？
97．你的手机响了。
98．他们俩聊得很愉快。
99．来，尝一尝我做的蛋糕。
100．她今天看上去很伤心。

孔子学院总部/国家汉办
Confucius Institute Headquarters(Hanban)

汉语水平考试

HSK（四级）

H41223

注　意

一、HSK（四级）分三部分：

1．听力（45题，约30分钟）

2．阅读（40题，40分钟）

3．书写（15题，25分钟）

二、**听力结束后，有5分钟填写答题卡**。

三、全部考试约105分钟（含考生填写个人信息时间5分钟）。

中国　北京　　　　孔子学院总部/国家汉办　编制

一、听 力

第一部分

第 1-10 题：判断对错。

例如：我想去办个信用卡，今天下午你有时间吗？陪我去一趟银行？

★ 他打算下午去银行。　　(√)

现在我很少看电视，其中一个原因是，广告太多了，不管什么时间，也不管什么节目，只要你打开电视，总能看到那么多的广告，浪费我的时间。

★ 他喜欢看电视广告。　　(×)

1. ★ 他以后想成为一名律师。　　(　　)
2. ★ 他们今天不用加班。　　(　　)
3. ★ 人都会经历失败。　　(　　)
4. ★ 演出已经结束了。　　(　　)
5. ★ 他现在适应北方的气候了。　　(　　)
6. ★ 那位作者大学刚毕业。　　(　　)
7. ★ 地址填错地方了。　　(　　)
8. ★ 日记本掉桌子下面了。　　(　　)
9. ★ 年轻人比较喜欢流行音乐。　　(　　)
10. ★ 不能“光说不练”。　　(　　)

第二部分

第 11-25 题：请选出正确答案。

例如：女：该加油了，去机场的路上有加油站吗？

男：有，你放心吧。

问：男的主要是什么意思？

A 去机场　B 快到了　C 油是满的　D 有加油站 √

11. A 长城　B 宾馆　C 大使馆　D 国家图书馆

12. A 搬家　B 理发　C 办签证　D 收拾房间

13. A 刷牙了　B 要减肥　C 口渴了　D 吃饱了

14. A 凉快　B 太冷了　C 温度很高　D 天有点儿阴

15. A 发烧了　B 出差了　C 去看病了　D 在家陪孙子

16. A 很不错　B 很详细　C 没有重点　D 马马虎虎

17. A 太厚了　B 很暖和　C 红色的更好　D 讨厌戴帽子

18. A 长江　B 黄河　C 世界地图　D 中国的首都

19. A 邻居　B 姐姐　C 妻子　D 万医生

20. A 寄给他　B 发传真　C 打印出来　D 发电子邮件

21. A 迟到了 B 还没起床 C 不在家吃饭 D 把护照丢了

22. A 很精彩 B 免费观看 C 他们班赢了 D 时间推迟了

23. A 袜子 B 牙膏 C 饮料 D 垃圾桶

24. A 脚疼 B 肚子难受 C 腿擦破了 D 咳嗽得厉害

25. A 警察 B 厨师 C 中学教师 D 出租车司机

第三部分

第 26-45 题：请选出正确答案。

例如：男：把这个材料复印 5 份，一会儿拿到会议室发给大家。

女：好的。会议是下午三点吗？

男：改了。三点半，推迟了半个小时。

女：好，602 会议室没变吧？

男：对，没变。

问：会议几点开始？

A 两点　　B 3 点　　C 15：30 √　　D 18：00

26\. A 语言学　　B 经济学　　C 国际关系　　D 环境科学

27\. A 带家具的　　B 房租便宜的　　C 购物方便的　　D 离学校近的

28\. A 鱼　　B 蛋糕　　C 牛肉　　D 面条儿

29\. A 男的输了　　B 座位满了　　C 女的很生气　　D 结果还没出来

30\. A 很累　　B 很粗心　　C 在上体育课　　D 每天都预习

31\. A 电梯坏了　　B 动作做不好　　C 没写完作业　　D 找不到入口

32\. A 开会　　B 打电话　　C 听广播　　D 看表演

33\. A 很懒　　B 不抽烟　　C 提前回家了　　D 还在谈生意

34\. A 取材料　　B 开证明　　C 还杂志　　D 学普通话

35. A 很害羞 B 很吃惊 C 个子不高 D 快生孩子了

36. A 很诚实 B 汉语很好 C 想当导游 D 爱开玩笑

37. A 和同学讨论 B 上网查一下 C 记在本子上 D 暂时放一边

38. A 多练习 B 多听批评 C 认真读书 D 原谅别人

39. A 积极的人 B 冷静的人 C 有理想的人 D 敢说真话的人

40. A 寒假 B 暑假 C 每天中午 D 每月 15 号

41. A 天气热 B 超市太小 C 提高竞争力 D 保证游客安全

42. A 爱打扮 B 会弹钢琴 C 参加工作了 D 想买台电脑

43. A 更美丽了 B 更勇敢了 C 不乱花钱了 D 不怕打针了

44. A 激动 B 伤心 C 失望 D 骄傲

45. A 脏了 B 特别轻 C 是别人的 D 是绿色的

二、阅 读

第 一 部 分

第 46-50 题：选词填空。

A 大约　　B 获得　　C 条件　　D 坚持　　E 交流　　F 主动

例如：她每天都（　D　）走路上下班，所以身体一直很不错。

46．以我们现在的技术（　　　），解决这个问题还有点儿困难。

47．既然知道是你错了，那你就该（　　　）向他道歉。

48．这次报名的人中，（　　　）有三分之二是硕士研究生。

49．没想到她第一次演出就（　　　）了这么大的成功。

50．网上的各种聊天工具使人们之间的（　　　）变得更方便了。

第 51-55 题：选词填空。

A 感谢　B 毛巾　C 温度　D 堵车　E 起来　F 浪费

例如：A：今天真冷啊，好像白天最高（ C ）才 2℃。

B：刚才电视里说明天更冷。

51．A：路上（　　），我恐怕要晚一点儿才能到。

B：没事，你不用着急，我也刚上地铁。

52．A：你觉得把镜子挂在这儿怎么样？

B：还是挂在洗手间吧，看着方便，还能让洗手间看（　　）更大一些。

53．A：妈，帮我拿条（　　），外面雨真大啊。

B：又忘记带伞了吧？头发都湿了，先把头发擦干，别感冒了。

54．A：马校长，真的很（　　）您这么支持我们的工作。

B：不客气，能帮到你们我很高兴。

55．A：剩了这么多菜没吃完，太（　　）了。

B：让服务员拿几个盒子来，我们都带回去吧。

第二部分

第 56-65 题：排列顺序。

例如：A 可是今天起晚了

B 平时我骑自行车上下班

C 所以就打车来公司　　　　B A C

56．A 如果长时间把它放在比较暗的地方

B 不但长得慢，而且很容易掉叶子

C 这种宽叶的植物喜欢阳光　　　　________

57．A 这个月底正好她过生日

B 妹妹很早之前就想买个照相机

C 我打算送她一个　　　　________

58．A 可是早上突然刮起了大风

B 我本来准备今天上午和朋友一起去踢足球

C 我们不得不改变了计划　　　　________

59．A 从这个路口往东走 600 米

B 儿童医院离这儿不太远

C 右手边有座白色的高楼，那儿就是　　　　________

60. A 不仅内容十分有趣

B 演员们演得也非常好

C 观众普遍反映这部电影不错 ____________

61. A 尽管它有 1000 多页

B 这本书实在是太好看了

C 但我只花了两天时间就读完了 ____________

62. A 做好小事是完成大事的第一步

B 并从中积累经验，为成功打下基础

C 因此我们要把每件小事都看成是一次学习的机会 ____________

63. A “日久见人心”这句话的意思是说

B 要想真正认识一个人

C 必须经过长时间的了解 ____________

64. A 昨天我一边走路一边用手机看新闻

B 到现在我的头还疼呢

C 结果不小心撞到路边一棵大树上 ____________

65. A 所以我也不记得密码到底是多少了

B 这张信用卡是去年我在北京银行办的

C 因为从来都没用过 ____________

第三部分

第66-85题：请选出正确答案。

例如：她很活泼，说话很有趣，总能给我们带来快乐，我们都很喜欢和她在一起。

★ 她是个什么样的人？

A 幽默 √　B 马虎　C 骄傲　D 害羞

66. 生活就像一道菜，其中有酸，有甜，有苦，有辣，无论哪种味道都是必不可少的。正是由于有这些不同的味道，生活才变得丰富多彩。

★ 这段话主要谈什么？

A 梦　B 生活　C 生命　D 艺术

67. 上次的春游活动小夏组织得不错，大家都玩儿得很高兴，这次还是由她来负责安排吧。

★ 说话人希望小夏：

A 做总结　B 去旅游　C 组织这次活动　D 多准备些食品

68. 窗外是什么样的风景，我们无法改变，但我们可以选择站在哪个窗户前。选择一个能够带给我们快乐的窗户，我们才能选对心情，选对生活态度。

★ 根据这段话，可以知道什么？

A 要有同情心　B 要尊重别人　C 眼睛会骗人　D 心情可以选择

69. 表示友好的方法有很多：刚认识的朋友，可以握握手；熟悉的朋友，可以互相抱一下，有时只需点点头；即使是完全不认识的路人，相互一笑也能拉近距离。

★ 根据这段话，怎样向刚认识的人表示友好？

A 握手　B 鼓掌　C 送礼物　D 互相帮助

70．月季，又叫“月月红”，四季开花，多为红色，偶有白色或蓝色。花朵大而且香，受到许多人的喜爱。

★ 关于月季花，可以知道：

A 很矮　B 可以入药　C 蓝色的很少见　D 秋冬都不开花

71．有人用数字来说明身体健康的重要性，认为身体健康是 1，其他都是 1 后面的 0，如果没有 1，就算有再多的 0 也没用。所以平时要注意锻炼，别等身体出问题了才后悔。

★ 这段话主要谈：

A 要少流泪　B 应重视数学　C 健康的重要性　D 怎样提高成绩

72．对每一个将要离开大学校园的人来说，他们的心情都会很复杂。首先，很兴奋，因为马上就要进入社会，开始全新的生活了；其次，又会因为要离开熟悉的老师和同学而难过。

★ 让毕业生感到兴奋的是：

A 出国留学　B 受到表扬　C 参观访问　D 开始新生活

73．每到换季或者节假日的时候，各大商场都会举办一些打折活动来吸引顾客。这时候买东西是最合适的，有时甚至能比平时少花一半儿的钱。

★ 商场举办活动的目的是：

A 检查质量　B 吸引顾客　C 举行招聘会　D 提高管理水平

74．酒后开车很危险，所以法律禁止司机酒后开车。每个人都应该记住这句话：“开车千万别喝酒，喝酒千万别开车。”

★ 根据这段话，司机：

A 要讲信用　B 爱喝啤酒　C 都很幽默　D 酒后不能开车

75．决定成功的不只是能力，还有态度。事情做到“差不多”就觉得满意的人往往不会成功，只有以严格的标准来要求自己才会让自己变得更优秀。

★ 想要更优秀，必须：

A 降低标准　B 信任他人　C 多鼓励自己　D 严格要求自己

76．《海洋馆的约会》讲的是一个发生在海洋馆的浪漫爱情故事，但是我觉得其中人与动物之间的友谊更感人，给我的印象更深。

★ 什么更让他感动？

A 广告　　B 历史故事　　C 母亲的理解　　D 人与动物的友谊

77．关阿姨，您先填一下这张申请表，姓名、性别、年龄和电话号码都要写，填完之后交给我就行了。

★ 他让关阿姨：

A 填表格　　B 讲笑话　　C 继续努力　　D 打扫教室

78．误会往往是在缺少调查、没听别人解释的情况下发生的，它容易伤害人们之间的感情。所以，我们在看问题时，要有耐心，不明白的一定要问清楚。

★ 怎样才能减少误会？

A 找人商量　　B 有责任心　　C 耐心听人解释　　D 快速做出判断

79．人们总说“以后还有机会”，以后真的还有机会吗？不一定。将来会发生什么事情，谁也猜不到。因此，当机会到来时，千万不要放手，有什么想做的事就马上去做吧。

★ 这段话告诉我们：

A 要有信心　　B 要学会拒绝　　C 不要错过机会　　D 不要乱发脾气

80-81．

现在越来越多的年轻人愿意旅行结婚，而不像以前那样邀请亲戚朋友到家里或饭店吃饭。这一方面是因为不少年轻人觉得把大笔的钱花在请客吃饭上不太值；另一方面也是想借这个机会到处走走，给自己留下一段既轻松又美好的回忆。

★ 以前的人结婚时一般都会：

A 骑马　　B 请客　　C 听京剧　　D 吃饺子

★ 年轻人选择旅行结婚的原因是：

A 喜欢热闹　　B 不怕麻烦　　C 想变成熟　　D 让自己更轻松

82-83.

选择职业时，你最看重什么？工资、奖金还是将来的发展？在我看来，赚钱多少不是最重要的，兴趣才是关键。当你喜欢做一件事情的时候，你会带着热情去工作，就不会感到累，更不会觉得有太大的压力。如果每天都能这样愉快地工作，你会觉得很幸福。

★ 根据这段话，他认为什么最重要？

A 兴趣　　B 过程　　C 收入　　D 专业知识

★ 这段话主要谈的是：

A 怀疑精神　　B 学校教育　　C 阅读的作用　　D 职业选择的关键

84-85.

“习惯成自然”这句话是说，一件事我们做的次数越多，就会越熟悉，习惯就会慢慢地养成。其实，养成一个好习惯并没有我们想得那么难。就拿运动来说，不少人刚开始运动时，会感觉十分无聊，于是很快就放弃了。但坚持下来的人会告诉你：“只要坚持一段时间，你会发现，运动已成为你生活中不可缺少的一部分。”

★ 刚开始运动时，很多人会觉得：

A 很紧张　　B 没意思　　C 很孤单　　D 极其简单

★ 根据这段话，养成好习惯：

A 贵在坚持　　B 仍然无聊　　C 要多听意见　　D 需要别人帮忙

三、书 写

第一部分

第 86-95 题：完成句子。

例如：那座桥　800 年的　历史　有　了

那座桥有 800 年的历史了。

86．比较　我弟弟的　性格　活泼

87．被　那个瓶子　儿子　打破了

88．方向　重要　更　比速度

89．羊肉汤　今天的　放多了　盐

90．她　去打网球　一块儿　邀请我

91．请把　按照　这些报纸　排好　时间顺序

92．不会　肯定　他　同意你的看法

93．祝　你　顺利　一切

94．乘坐的　您　马上就要　航班　起飞了

95．用歌声　当地少数民族　来表达　习惯　感情

第二部分

第 96-100 题：看图，用词造句。

例如：乒乓球 她很喜欢打乒乓球。

96.  饼干

97.  脱

98.  只

99.  算

100.  难受

H41223 卷听力材料

（音乐，30 秒，渐弱）

大家好！欢迎参加 HSK（四级）考试。
大家好！欢迎参加 HSK（四级）考试。
大家好！欢迎参加 HSK（四级）考试。

HSK（四级）听力考试分三部分，共 45 题。
请大家注意，听力考试现在开始。

第一部分

一共 10 个题，每题听一次。

例如：我想去办个信用卡，今天下午你有时间吗？陪我去一趟银行？
★ 他打算下午去银行。

现在我很少看电视，其中一个原因是，广告太多了，不管什么时间，也不管什么节目，只要你打开电视，总能看到那么多的广告，浪费我的时间。
★ 他喜欢看电视广告。

现在开始第 1 题：

1．我父亲是一名律师，他希望我长大后能跟他一样，也做一名律师，但是我对法律不太感兴趣，我更愿意当一名记者。
★ 他以后想成为一名律师。

2．小李，你把这份材料复印之后发给大家，顺便通知大家今天晚上要加班。
★ 他们今天不用加班。

3．没有人能一生都顺顺利利，没有失败。区别在于有的人能接受失败，找到失败的原因并继续努力；而有的人却在失败面前停下了脚步。
★ 人都会经历失败。

4．虽然演出八点才开始，但是过了七点四十五就不允许观众进场了，我们还是早点儿出发吧。
★ 演出已经结束了。

5. 我是南方人，刚到北方时，非常不适应那里的气候，觉得空气很干燥。不过，住了几年后，也逐渐适应了。

★ 他现在适应北方的气候了。

6. 我早就听说这本小说的作者很有名，昨天在报纸上看到一篇关于她的报道，才知道她竟然是一位在校大学生，没想到她那么年轻，真让人羡慕。

★ 那位作者大学刚毕业。

7. 先生，您把收件人和寄件人的地址填反了，这儿应该填您自己的地址。我再给您一张单子，您重新填一遍吧。

★ 地址填错地方了。

8. 哥，你来帮帮我。我的日记本掉到沙发后面了，拿不出来了。你来帮我抬一下沙发吧。

★ 日记本掉桌子下面了。

9. 流行音乐在年轻人中比较受欢迎，它是流行文化的一部分，能够反映人们对当时社会的一些看法。

★ 年轻人比较喜欢流行音乐。

10. “光说不练”的意思是有些人只是嘴上说说，实际上却不做。这样是不会有什么结果的，不管是工作还是学习，“光说不练”都是不行的。

★ 不能“光说不练”。

第二部分

一共 15 个题，每题听一次。

例如：女：该加油了，去机场的路上有加油站吗？
男：有，你放心吧。
问：男的主要是什么意思？

现在开始第 11 题：

11. 男：王小姐，我们什么时候去参观长城？
女：明天上午，明天早上七点在门口集合。现在咱们回酒店休息。
问：他们明天上午要去哪儿？

12. 女：对面那条街上新开了一家理发店，听说那儿的理发师技术还不错。
男：是吗？正好我也该理发了，那明天下班后我去试试。
问：男的明天下班后要去做什么？

13. 男：我记得你以前很爱吃巧克力，最近怎么不吃了，是在减肥吗？
女：是啊，我希望自己能瘦一点儿。
问：女的为什么不吃巧克力了？

14. 女：今天天气不错，挺凉快的，我们去公园走走？
男：好，这么好的天气，不去散散步太可惜了。
问：女的觉得今天天气怎么样？

15. 男：你昨天怎么没来上班，生病了？
女：我前几天耳朵一直不太舒服，所以昨天请了个假，去看大夫了。
问：女的昨天为什么没去上班？

16. 女：你觉得这个办法怎么样？会有效果吗？
男：确实是个好主意，值得一试。
问：男的觉得这个办法怎么样？

17. 男：你试试这个红色的帽子，我觉得你戴着一定很漂亮。
女：我也觉得这个颜色更适合我。
问：女的是什么意思？

18. 女：你知道长江有多长吗？
男：当然知道，它有六千多公里呢，是亚洲第一长河。
问：他们在说什么？

19. 男：护士，请问万医生的办公室在哪儿？
女：在三层，电梯左边第一个房间就是。
问：男的要找谁？

20. 女：你要的那篇文章我已经翻译好了，你什么时候来取？
男：你发邮件给我吧，你知道我的信箱吧？
问：男的希望女的怎么做？

21. 男：飞机十点起飞，你吃完早饭再走也来得及。
女：不了，我在机场随便买点儿吃的就行，你不用管了。
问：关于女的，可以知道什么？

22. 女：昨天那场乒乓球比赛你看了吗？
男：看了，非常精彩。
问：关于那场比赛，可以知道什么？

23. 男：牙膏用完了，家里还有新的吗？
女：有，我上午刚买的，就在那个塑料袋里。
问：男的想要什么？

24．女：真对不起，怎么样？你的腿没事吧？
男：没关系，就是擦破了一点儿皮。
问：男的怎么了？

25．男：前面那条路太窄了，车子可能开不进去。
女：那就停在这个路口吧。师傅，一共多少钱？
问：男的最可能是做什么的？

第三部分

一共20个题，每题听一次。

例如：男：把这个材料复印五份，一会儿拿到会议室发给大家。
女：好的。会议是下午三点吗？
男：改了。三点半，推迟了半个小时。
女：好，六零二会议室没变吧？
男：对，没变。
问：会议几点开始？

现在开始第26题：

26．女：听说你准备出国读博士？祝贺你呀！
男：谢谢。
女：还是读经济学吗？
男：对，研究方向是国际经济。
问：男的准备读哪个专业？

27．男：你想租什么样的房子？
女：最好是离公司近一点儿，周围要安静，当然也不能太贵了。
男：咱公司附近估计没有太便宜的房子。
女：如果交通方便，稍微远一点儿，我也可以考虑。
问：女的想找什么样的房子？

28．女：中午吃西红柿鸡蛋面怎么样？
男：可以，不过冰箱里好像没有面条儿了。
女：那我们现在去超市买。
男：好的。
问：他们中午想吃什么？

29．男：抱歉，最后的结果还没出来，有消息我们会马上通知你的。
女：那大概什么时候能出结果？
男：最晚下个星期五。
女：好的，我知道了，谢谢！
问：根据对话，下列哪个正确？

30．女：我没力气了，爬不动了。
男：那我们休息一下，喝点儿水。
女：好。果然让你说对了，爬山我比不上你。
男：那是当然，我每个周末都来爬山。
问：关于女的，可以知道什么？

31．男：这几个动作有点儿复杂，每次我做得都不够好。
女：别着急，跳的时候慢慢找感觉，多练习几次就好了。
男：谢谢您。我再试试。
女：加油！我相信你能练好。
问：男的为什么很着急？

32．女：谁的手机一直在响？
男：是张经理的，他在会议室开会呢。
女：你把手机给他拿过去吧，可能谁有什么急事要联系他。
男：好的，我现在去。
问：张经理正在做什么？

33．男：喂，你在哪儿？我敲了半天门，怎么没人在家？
女：我和孩子在花园里玩儿呢，你不是说要到九点才回来吗？
男：工作提前做完了，我没带钥匙，你们什么时候回来？
女：这就回去，你再等一会儿。
问：关于男的，下列哪个正确？

34．女：打扰一下，请问您是李老师吗？
男：对，你是……
女：您好，我是谢教授的学生，他让我过来取材料。
男：你先坐一下，等几分钟，我马上就整理完了。
女：好的。
问：女的找李老师做什么？

35．男：你孩子是不是快要出生了？
女：对，还有两个月。
男：孩子的名字取好了吗？
女：他爷爷奶奶给取了一个，叫王雪。
问：关于女的，可以知道什么？

第 36 到 37 题是根据下面一段话：

我来中国一年了，大家都说我的中文很流利。不少人问我是怎么做到的。我的方法就是多交一些中国朋友，经常和他们聊天儿。还有，遇到不认识的词语，我会马上查词典，然后写在本子上，有空儿就拿出来复习一下。这样慢慢积累，我的听说读写能力都得到了很大的提高。

36．关于说话人，下列哪个正确？

37．遇到不认识的词，说话人会怎么办？

第 38 到 39 题是根据下面一段话：

有位名人说："要想知道自己长得什么样，衣服穿得合不合适，只要照照镜子就知道了；要想知道自己的缺点是什么，就需要通过别人的批评。"我们应该以那些敢说真话的人为"镜子"，这样才能及时发现自己的缺点。

38．怎样才能发现自己的缺点？

39．说话人认为什么样的人适合当"镜子"？

第 40 到 41 题是根据下面一段话：

每年七八月份，也就是放暑假的时候，会有大量的游客来这儿参观，最多的时候会比平时多出三四倍。为了使参观能顺利进行，保证游客的安全，我们只好对每天的参观人数进行限制。

40．什么时候参观人数较多？

41．为什么要限制参观人数？

第 42 到 43 题是根据下面一段话：

女儿过去花钱很随便，但从她开始工作、知道赚钱的辛苦后，就变得懂事多了，她开始学着管理自己的工资，把每天花的钱都记下来，提醒自己要节约，还对我说以后再也不乱花钱了。

42．关于女儿，可以知道什么？

43．女儿有什么变化？

第 44 到 45 题是根据下面一段话：

我昨天和同事去逛街，看到一个我一直想要的包。我激动地对同事说："就是它，终于被我找到了！"我拿起包就问售货员："这个包怎么卖？"这时，旁边一个帅哥很有礼貌地对我说："你喜欢这个包？"我说："是"。他笑着说："可是这是我的包。"

44．看到那个包，说话人心情怎么样？

45．关于那个包，可以知道什么？

听力考试现在结束。

H41223卷答案

一、听 力

第一部分

1. ×	2. ×	3. √	4. ×	5. √
6. ×	7. √	8. ×	9. √	10. √

第二部分

11. A	12. B	13. B	14. A	15. C
16. A	17. C	18. A	19. D	20. D
21. C	22. A	23. B	24. C	25. D

第三部分

26. B	27. B	28. D	29. D	30. A
31. B	32. A	33. C	34. A	35. D
36. B	37. C	38. B	39. D	40. B
41. D	42. C	43. C	44. A	45. C

二、阅 读

第一部分

46. C	47. F	48. A	49. B	50. E
51. D	52. E	53. B	54. A	55. F

第二部分

56. CAB	57. BAC	58. BAC	59. BAC	60. CAB
61. BAC	62. ACB	63. ABC	64. ACB	65. BCA

第三部分

66. B	67. C	68. D	69. A	70. C
71. C	72. D	73. B	74. D	75. D
76. D	77. A	78. C	79. C	80. B
81. D	82. A	83. D	84. B	85. A

三、书 写

第一部分

86. 我弟弟的性格比较活泼。
87. 那个瓶子被儿子打破了。
88. 方向比速度更重要。
89. 今天的羊肉汤盐放多了。
90. 她邀请我一块儿去打网球。
91. 请把这些报纸按照时间顺序排好。
92. 他肯定不会同意你的看法。
93. 祝你一切顺利。
94. 您乘坐的航班马上就要起飞了。
95. 当地少数民族习惯用歌声来表达感情。

第二部分

（参考答案）

96. 你要不要吃饼干？
97. 衣服脏了，脱下来洗洗吧。
98. 山上有一只老虎。
99. 我来算一下一共花了多少钱。
100. 她觉得有点儿难受。

孔子学院总部/国家汉办
Confucius Institute Headquarters(Hanban)

汉语水平考试

HSK（四级）

H41224

注　意

一、HSK（四级）分三部分：

1．听力（45 题，约 30 分钟）

2．阅读（40 题，40 分钟）

3．书写（15 题，25 分钟）

二、**听力结束后，有 5 分钟填写答题卡。**

三、全部考试约 105 分钟（含考生填写个人信息时间 5 分钟）。

中国　北京　　　　孔子学院总部/国家汉办　编制

一、听 力

第 一 部 分

第 1-10 题：判断对错。

例如：我想去办个信用卡，今天下午你有时间吗？陪我去一趟银行？

★ 他打算下午去银行。（ √ ）

现在我很少看电视，其中一个原因是，广告太多了，不管什么时间，也不管什么节目，只要你打开电视，总能看到那么多的广告，浪费我的时间。

★ 他喜欢看电视广告。（ × ）

1．★ 现在是冬季。（ ）

2．★ 饺子没放盐。（ ）

3．★ 小马和小张赢了。（ ）

4．★ 窗户向南的房子比较受欢迎。（ ）

5．★ 他已经通过了考试。（ ）

6．★ 网上银行让生活变得更方便。（ ）

7．★ 箱子里面是旧报纸。（ ）

8．★ 开车时听广播很危险。（ ）

9．★ 他觉得头发太长了。（ ）

10．★ 他父亲是记者。（ ）

第二部分

第11-25题：请选出正确答案。

例如：女：该加油了，去机场的路上有加油站吗？

男：有，你放心吧。

问：男的主要是什么意思？

A 去机场　B 快到了　C 油是满的　D 有加油站 √

11. A 超市　B 火车站　C 动物园　D 出租车上

12. A 刷牙了　B 吃饱了　C 爱吃饼干　D 医生让少吃

13. A 非常困　B 发烧了　C 没起床　D 被骗了

14. A 街道很窄　B 车是租的　C 女的在问路　D 商店很热闹

15. A 迟到了　B 要加班　C 肚子难受　D 今天不去了

16. A 着急　B 得意　C 孤单　D 兴奋

17. A 关空调　B 送家具　C 修洗衣机　D 借照相机

18. A 看电视　B 问奶奶　C 查词典　D 课本上有

19. A 盒子数量　B 报名人数　C 参观时间　D 工资和奖金

20. A 没地址　B 没检查　C 没复印　D 没空儿

21.	A 很新	B 不够亮	C 很便宜	D 样子不好看
22.	A 口渴	B 没睡醒	C 非常生气	D 咳嗽得厉害
23.	A 邻居	B 孙叔叔	C 王阿姨	D 李大夫
24.	A 搬椅子	B 挂照片	C 抬沙发	D 洗袜子
25.	A 很后悔	B 变懒了	C 完成任务了	D 做完作业了

第三部分

第 26-45 题：请选出正确答案。

例如：男：把这个材料复印 5 份，一会儿拿到会议室发给大家。

女：好的。会议是下午三点吗？

男：改了。三点半，推迟了半个小时。

女：好，602 会议室没变吧？

男：对，没变。

问：会议几点开始？

A 两点　　B 3 点　　C 15：30 √　　D 18：00

26. A 爱打扮　　B 个子矮　　C 是护士　　D 想当警察

27. A 牙疼　　B 哭了　　C 手破了　　D 耳朵不舒服

28. A 来取护照　　B 要去约会　　C 错过了航班　　D 想先去银行

29. A 风景好　　B 很干燥　　C 污染严重　　D 经济增长快

30. A 赚钱　　B 感兴趣　　C 扩大影响　　D 记下难忘经历

31. A 宾馆　　B 电影院　　C 菜市场　　D 图书馆

32. A 会跳舞　　B 羡慕女的　　C 从小弹钢琴　　D 喜欢打篮球

33. A 法律　　B 语法学　　C 基础医学　　D 国际关系

34. A 很难过　　B 想买裤子　　C 胖了 5 公斤　　D 晚上有活动

35. A 买字典 B 去跑步 C 找地图 D 商量事情

36. A 讲笑话 B 做面包 C 教育孩子 D 表扬弟弟

37. A 爱吃糖 B 很伤心 C 想吃蛋糕 D 弄脏了鞋子

38. A 休息好 B 少抽烟 C 幸福快乐 D 身体不生病

39. A 真正的健康 B 年轻的好处 C 锻炼的原因 D 最浪漫的事

40. A 写小说 B 做生意 C 听京剧 D 研究普通话

41. A 变瘦了 B 出名了 C 考上博士了 D 成为一名导游

42. A 声音 B 距离 C 比赛过程 D 球的质量

43. A 戴帽子 B 坐电梯 C 喝饮料 D 大声说话

44. A 儿童 B 找工作的 C 想看表演的 D 游戏爱好者

45. A 很安全 B 速度慢 C 访问量过亿 D 招聘消息最多

二、阅 读

第 一 部 分

第 46-50 题：选词填空。

A 不得不　　B 粗心　　C 本来　　D 坚持　　E 叶子　　F 填

例如：她每天都（ D ）走路上下班，所以身体一直很不错。

46．对不起，您要先去对面的办公室（　　）一张申请表。

47．其实许多事情（　　）很简单，只是我们想得太复杂了。

48．由于下雨，这次活动的举办时间（　　）推迟一周。

49．哥，你快来看，这是什么植物呀？（　　）怎么这么宽？

50．他真是太（　　）了，竟然连火车票都忘记带了。

第51-55题：选词填空。

A 刚刚　　B 整齐　　C 温度　　D 打折　　E 语言　　F 凉快

例如：A：今天真冷啊，好像白天最高（　C　）才2℃。

　　　B：刚才电视里说明天更冷。

51．A：这篇报道我中午就要用，你帮我看看（　　）上还有没有问题。

　　B：行，你先放我桌子上吧，我马上就看。

52．A：没想到你的房间这么（　　）。

　　B：知道你要来，我专门打扫了一上午。

53．A：外面挺（　　）的，咱们去花园里走走？

　　B：你等我几分钟，我发完这个电子邮件就和你去。

54．A：你看见小李了吗？我的车钥匙还在他那里。

　　B：他（　　）离开这儿，应该还没走远。

55．A：周末陪我去商场吧，听说这些天夏季的衣服都在（　　）。

　　B：好，正好我也打算去买件衬衫。

第二部分

第 56-65 题：排列顺序。

例如：A 可是今天起晚了

B 平时我骑自行车上下班

C 所以就打车来公司　　　　B A C

56. A 这样会暖和一点儿

B 儿子，外面刮大风了，特别冷

C 你还是把这件厚衣服穿上吧　　　　________

57. A 他从 9 岁开始练习短跑

B 大家都为他感到骄傲

C 18 岁就获得了亚运会 100 米第一名　　　　________

58. A 看起来，这件事确实是我误会他了

B 我明天就去向他道歉，希望他能原谅我

C 我相信他会原谅我的　　　　________

59. A 但是如果没有引起重视

B 有些问题虽然看起来很小

C 积累下去很可能会发展成大麻烦　　　　________

60. A 我逐渐适应了这里的气候和生活

B 来北京半年多了

C 也交到了许多朋友 ____________

61. A 只要找到了做事情的正确方法

B 就能花较少的时间和力气取得更好的效果

C “事半功倍”的意思是说 ____________

62. A 中国是一个多民族的国家

B 不同民族之间的节日也有很大的区别

C 由于各民族历史和文化不同 ____________

63. A 上面的“日”代表太阳，下面的“一”代表地面

B 所以“旦”在汉语中最早是表示“日出”的意思

C “旦”由两个部分组成 ____________

64. A 那条路这个时候经常堵车，不想迟到的话

B 估计比开车还能快一些

C 咱们还是去坐地铁吧 ____________

65. A 而是因为他坚持到了最后一刻

B 不是因为他多么聪明、多么有能力

C 很多时候一个人能够取得成功 ____________

第三部分

第 66-85 题：请选出正确答案。

例如：她很活泼，说话很有趣，总能给我们带来快乐，我们都很喜欢和她在一起。

★ 她是个什么样的人？

A 幽默 √　　B 马虎　　C 骄傲　　D 害羞

66. 我姐姐是大学老师，每个寒暑假她都会出去旅行。现在，她几乎玩儿遍了中国。她今年计划去国外玩儿。

★ 他姐姐：

A 请假了　　B 经常旅游　　C 准备留学　　D 是中文教师

67. 讨论在学习中起着重要的作用。学生需要先有自己的想法，然后与别人进行交流，从中发现问题并且找到解决问题的办法，这比老师讲、学生听的效果要好得多。

★ 讨论能让学生：

A 交流看法　　B 懂得节约　　C 接受批评　　D 学会信任

68. 你放心，我 7 月底去北京出差，大概一个星期就能回来，最多也不会超过 10 天，肯定能回来给你过生日。

★ 说话人是什么意思？

A 最近很忙　　B 时间来得及　　C 感到很抱歉　　D 没买到礼物

69. 生活中不能缺少理想。有理想的人知道自己前进的方向，他们做出的努力都会使自己离目的地更近一步，即使暂时遇到困难，他们也不会随便放弃。

★ 这段话主要想告诉我们，要：

A 有理想　　B 有同情心　　C 对人友好　　D 忘记烦恼

70.“外号”是根据一个人的特点给他起的不太正式的名字，常常带有开玩笑的意思。一般情况下，只有熟悉的人之间才会互相叫外号。

★ 关于“外号”，可以知道：

A 让人感动　　B 表示尊重　　C 不太正式　　D 现在很流行

71. 她和丈夫很少在家吃饭。平时上班的时候两个人都在公司吃，周末不上班的时候就一起去饭馆儿吃，偶尔才会在家做顿饭。

★ 他们俩：

A 经常请客　　B 还没结婚　　C 都爱吃辣的　　D 不常在家吃饭

72. 有人说“用好幽默，就没有卖不出去的东西”。幽默的广告不仅能吸引观众的注意力，还能让他们在轻松一笑中对广告的内容留下好印象。

★ 广告中使用幽默，能：

A 使人吃惊　　B 吸引观众　　C 增加艺术感　　D 提高管理水平

73. 你知道最适合游泳的水温是多少吗？一般来说，专业游泳馆的水温在 22 度到 26 度之间。如果水温太高，人容易觉得累；太低，人又容易感冒。

★ 这段话主要谈游泳时：

A 水的温度　　B 腿的动作　　C 适合的水深　　D 天气的影响

74. 如果一个星期内发现有任何质量问题，我们都可以免费为您换，但是购物小票一定不能丢。否则，按照商场规定，我们是没法给您换的。

★ 说话人提醒他：

A 看说明书　　B 别弄丢小票　　C 塑料袋收费　　D 重新填表格

75. 谢谢大家这一年来对我的支持和帮助，能和这么多优秀的同事一起工作，我感到非常愉快。在这儿我学到了很多知识，也积累了很多经验，希望将来还能有机会和大家一起学习。

★ 根据这段话，可以知道他：

A 脾气不好　　B 感觉很无聊　　C 在感谢别人　　D 很关心别人

76. “你使用密码吗？”相信大部分人的回答都是肯定的。在现代人的生活中，密码的使用已经非常普遍，它几乎无处不在，我们的电子邮箱、银行卡等等都要使用密码。

★ 根据这段话，关于密码，可以知道：

A 要常换　B 越奇怪越好　C 使用很普遍　D 不能用数字

77. 这本杂志介绍了亚洲很多著名的景点，其中介绍长城的那一篇，写得特别详细，而且十分有趣，很值得一读。

★ 介绍长城的那篇文章：

A 很难　B 很有意思　C 有 100 多页　D 不符合标准

78. 有些人总说，他无法改变现在的情况，因为他无法改变周围的环境。实际上，我们过什么样的生活是由我们的态度决定的。就像一位名人说的那样：“任何环境中，人们都有一种最后的选择，那就是自己的态度。”

★ 这段话主要谈什么？

A 要有耐心　B 做事要主动　C 态度决定生活　D 要有怀疑精神

79. 很多葡萄酒的瓶子都是深色的，这是因为太阳光会让酒的味道发生改变，而深色酒瓶能起到保护作用。

★ 深色酒瓶：

A 比较贵　B 缺点很多　C 敲起来更响　D 对酒有保护作用

80-81.

每个人在工作、学习、经济上都或多或少会有压力。有压力不一定是坏事，关键是要知道怎样做才能给自己减压。看电影、听音乐，甚至跟朋友一起聊天儿、散步等，都是非常有效的办法。

★ 根据这段话，压力：

A 有很多种　B 让人成熟　C 与年龄无关　D 会带来失败

★ 这段话主要想告诉我们：

A 要勇敢　B 要有礼貌　C 要学会减压　D 工作要积极

82-83.

一天，爷爷对小孙子说："来，我出个问题考考你。"孙子说："您问吧，我肯定能答上来。"爷爷问："一张桌子有 4 个角，如果去掉一个角，桌子还剩几个角？""3 个。"孙子想都不想，马上回答。爷爷笑着说："错了，应该是 5 个角。"有时候，遇到问题我们应该先冷静下来，仔细地想一想，不能只根据习惯就给出答案。

★ 关于小孙子，可以知道什么？

A 答错了　B 很诚实　C 讨厌数学　D 不会画画儿

★ 这个故事告诉我们，遇到问题时：

A 要先调查　B 不要失望　C 要多问老人　D 别受习惯影响

84-85.

人们常说，读书要做到"眼到、口到、心到、手到"。这里的"手到"指做读书笔记。读书笔记有很多种，最简单的就是把自己喜欢或者觉得有用的词句记下来。另外，在看完一本书或一篇文章后，还可以把它的主要内容和自己的想法写下来。坚持做读书笔记，对提高我们的阅读和表达能力有很大帮助。

★ 最简单的读书笔记是：

A 写故事　B 作总结　C 翻译词语　D 记下喜欢的词句

★ 根据这段话，做读书笔记：

A 需要预习　B 很浪费时间　C 能帮助阅读　D 能丰富感情

三、书 写

第一部分

第 86-95 题：完成句子。

例如：那座桥　　800 年的　　历史　　有　　了

那座桥有 800 年的历史了。

86. 昨天买的　　有点儿　　酸　　西红柿

87. 长江　　流经　　11 个省市　　共

88. 他在农村　　一段时间　　生活　　过

89. 材料　　我已经　　把　　整理好了

90. 对环境　　森林　　有很好的　　保护作用

91. 不要　　请　　扔垃圾　　乱

92. 签证　　张教授的　　办得　　很顺利

93. 往往　　更有信心　　经常　　被鼓励的孩子

94. 通知　　大家　　高校长让我　　下午两点集合

95. 传真　　是　　你们公司的　　号码　　多少

第二部分

第96-100题：看图，用词造句。

例如： 乒乓球 她很喜欢打乒乓球。

96.  价格

97.   汤

98.  乘坐

99.  圆

100.  精彩

H41224 卷听力材料

（音乐，30 秒，渐弱）

大家好！欢迎参加 HSK（四级）考试。
大家好！欢迎参加 HSK（四级）考试。
大家好！欢迎参加 HSK（四级）考试。

HSK（四级）听力考试分三部分，共 45 题。
请大家注意，听力考试现在开始。

第一部分

一共 10 个题，每题听一次。

例如：我想去办个信用卡，今天下午你有时间吗？陪我去一趟银行？
★ 他打算下午去银行。

现在我很少看电视，其中一个原因是，广告太多了，不管什么时间，也不管什么节目，只要你打开电视，总能看到那么多的广告，浪费我的时间。
★ 他喜欢看电视广告。

现在开始第 1 题：

1. 春天到了，公园里开满了五颜六色的花，白的，红的，黄的，漂亮极了。
★ 现在是冬季。

2. 我都尝过了，除了饺子稍微有点儿咸，其他的都还不错，你第一次就能做成这样，已经很厉害了。
★ 饺子没放盐。

3. 在昨天的羽毛球男子双打比赛中，小马和小张最后赢得了比赛。赛后他们激动地抱在了一起，场上的观众也都鼓掌向他们表示祝贺。
★ 小马和小张赢了。

4. 来我们这儿看房的顾客一般都喜欢窗户向南的房子。另外，房子周围的环境也是他们考虑的重要方面。
★ 窗户向南的房子比较受欢迎。

5. 只要他这次考试的成绩都合格，就可以进入高级班学习。他学习的热情这么高，我估计他没问题，你不用担心。

★ 他已经通过了考试。

6. 现在网上银行的作用越来越大。有了它，我们在网上购物就方便多了，还可以交水费、电费等。

★ 网上银行让生活变得更方便。

7. 这个箱子里都是杯子和盘子，你搬的时候小心点儿，一定要轻拿轻放，千万别打破了。

★ 箱子里面是旧报纸。

8. 很多司机都喜欢开车时听广播，因为通过广播他们不但可以了解当时的路面交通情况，而且不会觉得太无聊。

★ 开车时听广播很危险。

9. 头发长得真快，才一个月又这么长了，明天逛街的时候我顺便去理个发，短点儿看起来会更精神。

★ 他觉得头发太长了。

10. 我爸爸是一位记者，他总是告诉我，做记者既要及时地报道社会上发生的事情，也要保证新闻的准确性。

★ 他父亲是记者。

第二部分

一共 15 个题，每题听一次。

例如：女：该加油了，去机场的路上有加油站吗？
男：有，你放心吧。
问：男的主要是什么意思？

现在开始第 11 题：

11. 男：喂，你在哪儿呢？怎么这么吵？
女：我现在在火车站，你说话我听不太清楚，过会儿我再跟你联系吧。
问：女的现在在哪儿？

12. 女：你饿不饿？饿的话吃块儿巧克力吧。
男：现在不敢吃了，医生让我以后少吃甜食。
问：男的为什么不吃巧克力？

13．男：你困了就先去睡一会儿吧，等比赛开始了，我再叫你起来。
女：好的，我实在受不了了，先去躺会儿。
问：女的怎么了？

14．女：请问，您知道海洋馆的入口在哪儿吗？
男：这条路直走，大约再有两百米，你就能看到了。
问：根据对话，可以知道什么？

15．男：你不是和同学约了下午两点见面吗？再不出发就来不及了。
女：他今天有事，我们改明天早上了。
问：女的是什么意思？

16．女：我的钱包怎么不见了？钱和信用卡都在里面呢。
男：你先别着急，仔细回忆一下，你最后在哪儿用过它？
问：女的现在心情怎么样？

17．男：打扰一下，请问是您家的洗衣机坏了吗？
女：对，快请进，您给看一下还能不能修好。
问：男的来做什么？

18．女：这个词真的是这个意思？不会是你猜的吧？
男：当然不是，我查过词典，就是这么解释的。
问：男的是怎么知道词的意思的？

19．男：现在报名的人有多少了？
女：已经七千六百多了，还有半个月，估计最后总数会超过八千。
问：他们在谈什么？

20．女：爸，我昨天打印的那份材料您帮我寄出去了吗？
男：还没呢，你还没给我地址呢。
问：男的为什么没寄材料？

21．男：这个灯太暗了，这样看书对眼睛不好，换个稍微亮点儿的吧。
女：确实有点儿暗，我明天就去买新的。
问：男的觉得这个灯怎么样？

22．女：你怎么咳嗽得越来越厉害了？吃药了吗？
男：吃了，好像不太管用，我明天还是去医院打针吧。
问：男的怎么了？

23．男：孙叔叔邀请我们去他家做客，我们带点儿什么礼物好呢？
女：我记得他最爱喝茶了，我们去买点儿绿茶吧。
问：他们要去谁家做客？

24．女：我想在这边墙上挂几张照片。
男：这个主意不错，要我帮忙吗？
问：女的打算做什么？

25．男：没有你的帮助，我肯定不能按时完成任务，真是太谢谢你了。
女：你太客气了，我不过是给了些意见，这一切都是你自己辛苦努力的结果。
问：关于男的，下列哪个正确？

第三部分

一共 20 个题，每题听一次。

例如：男：把这个材料复印五份，一会儿拿到会议室发给大家。
女：好的。会议是下午三点吗？
男：改了。三点半，推迟了半个小时。
女：好，六零二会议室没变吧？
男：对，没变。
问：会议几点开始？

现在开始第 26 题：

26．女：你女儿毕业了吧？
男：是，毕业差不多两年了。
女：现在在哪儿上班啊？
男：在我们家附近的一个医院，当护士。
问：关于他女儿，可以知道什么？

27．男：呀，你的手怎么了？
女：收拾厨房的时候，不小心擦破了点儿皮。
男：等一下，我给你包起来。
女：好的。
问：女的怎么了？

28．女：师傅，这附近有交通银行吗？
男：你不是要去大使馆吗？
女：我突然想起来得先去趟银行。
男：没问题，前面那条路上就有一家。
问：关于女的，下列哪个正确？

29. 男：中秋节有什么打算？
女：我想和妹妹去丽江。
男：丽江？我去年去过那儿，那儿风景很美，气候湿润。
女：是吗？
问：男的认为丽江怎么样？

30. 女：您为什么会写这本书呢？
男：这些年我经历了许多难忘的事情，我想把它们都写下来。
女：您想通过这本书告诉读者什么呢？
男：我主要想告诉大家，友谊是我们生命中不可缺少的一部分。
问：男的为什么要写那本书？

31. 男：你好，我要两张电影票，八点二十那场。
女：好的，您选一下座位吧，电脑上这些蓝色的都可以选。
男：我要中间的，第十排，九号和十号。
女：好的，先生，一共一百二十元。
问：他们最可能在哪儿？

32. 女：没想到你钢琴弹得这么好，学很多年了吧？
男：我从六岁开始学，一直没断过。
女：一开始学琴的时候很苦吧？
男：是，万事开头难，后来慢慢就好了。
问：关于男的，下列哪个正确？

33. 男：你认识的人有学法律的吗？
女：我有个亲戚是律师，怎么了？
男：我想读研究生，但我以前学的不是这个专业，所以想先了解一下。
女：那我帮你问一下他什么时候有空儿。
问：男的想读哪个专业？

34. 女：帮我看看，我穿哪条裙子合适？
男：两条都不错。你要去做什么？
女：今晚公司有活动，所有人都必须参加。
男：那穿这条吧，黑色的正式一些。
问：关于女的，可以知道什么？

35. 男：你果然在这儿，电话怎么一直打不通？
女：可能是手机没电了，你找我什么事？
男：大家在教室商量晚会节目的事情呢，就差你了。
女：对不起，我忘了。
问：男的找女的做什么？

第 36 到 37 题是根据下面一段话：

一位母亲正在教育自己的孩子。母亲说：“别养成坏习惯，记住，今天能完成的事情一定不要留到明天做。”孩子听了高兴地说：“妈妈，快把刚才没吃完的蛋糕拿出来，我现在就把它吃光！”

36．那位母亲正在做什么？

37．关于孩子，下列哪个正确？

第 38 到 39 题是根据下面一段话：

每个人都希望自己健康，那么到底什么才是健康呢？过去，人们认为健康就是指身体不生病。但是，现在人们认识到，健康还应该包括精神上的健康。只有身体和精神都健康，才算是真正的健康。

38．过去人们认为健康是什么？

39．这段话主要谈什么？

第 40 到 41 题是根据下面一段话：

小王原来是位演员，但是演了十几年也没几个人记住他。后来在妻子的鼓励下，他开始试着在网上写小说，没想到他的小说很受欢迎，越来越多的人通过小说认识了他，他也因此成了人们眼中的名人。

40．妻子鼓励小王做什么？

41．小王后来怎么了？

第 42 到 43 题是根据下面一段话：

乒乓球是中国人很喜爱的一种体育运动，因球与桌面相撞时发出的声音而得名。在赛场看乒乓球比赛时，尤其是在运动员发球的时候，观众要安静，不要大声讲话或随便走动。

42．乒乓球根据什么而得名？

43．根据这段话，在赛场看比赛时不能做什么？

第 44 到 45 题是根据下面一段话：

找工作的人一定要到这个网站看一看，这里提供的工作机会是最多的，每天都有很多公司在上面发招聘消息。最重要的是这个网站能根据你的条件和要求，找出适合你的工作供你选择，让你更快地找到自己满意的工作。

44．这个网站对哪种人帮助最大？

45．关于这个网站，可以知道什么？

听力考试现在结束。

H41224 卷答案

一、听 力

第一部分

1. ×	2. ×	3. √	4. √	5. ×
6. √	7. ×	8. ×	9. √	10. √

第二部分

11. B	12. D	13. A	14. C	15. D
16. A	17. C	18. C	19. B	20. A
21. B	22. D	23. B	24. B	25. C

第三部分

26. C	27. C	28. D	29. A	30. D
31. B	32. C	33. A	34. D	35. D
36. C	37. C	38. D	39. A	40. A
41. B	42. A	43. D	44. B	45. D

二、阅 读

第一部分

46. F	47. C	48. A	49. E	50. B
51. E	52. B	53. F	54. A	55. D

第二部分

56. BCA	57. ACB	58. ABC	59. BAC	60. BAC
61. CAB	62. ACB	63. CAB	64. ACB	65. CBA

第三部分

66. B	67. A	68. B	69. A	70. C
71. D	72. B	73. A	74. B	75. C
76. C	77. B	78. C	79. D	80. A
81. C	82. A	83. D	84. D	85. C

三、书 写

第一部分

86．昨天买的西红柿有点儿酸。
87．长江共流经 11 个省市。
88．他在农村生活过一段时间。
89．我已经把材料整理好了。
90．森林对环境有很好的保护作用。
91．请不要乱扔垃圾。
92．张教授的签证办得很顺利。
93．经常被鼓励的孩子往往更有信心。
94．高校长让我通知大家下午两点集合。
95．你们公司的传真号码是多少？

第二部分

（参考答案）

96．这个包样子很好看，价格也还可以。
97．尝尝我做的汤，味道怎么样？
98．他乘坐的飞机已经起飞了。
99．这个西瓜又大又圆。
100．昨晚的球赛非常精彩。

汉 语 水 平 考 试

HSK（四级）

H41225

注　　意

一、HSK（四级）分三部分：

　　1．听力（45 题，约 30 分钟）

　　2．阅读（40 题，40 分钟）

　　3．书写（15 题，25 分钟）

二、**听力结束后，有 5 分钟填写答题卡。**

三、全部考试约 105 分钟（含考生填写个人信息时间 5 分钟）。

中国　北京　　　　　　　　　　孔子学院总部/国家汉办　编制

一、听 力

第 一 部 分

第 1-10 题：判断对错。

例如：我想去办个信用卡，今天下午你有时间吗？陪我去一趟银行？

★ 他打算下午去银行。 （ √ ）

现在我很少看电视，其中一个原因是，广告太多了，不管什么时间，也不管什么节目，只要你打开电视，总能看到那么多的广告，浪费我的时间。

★ 他喜欢看电视广告。 （ × ）

1. ★ 他 5 年前就很有名。 （ ）
2. ★ 现在是冬季。 （ ）
3. ★ 他做事比过去仔细了。 （ ）
4. ★ 他今天 7 点就起床了。 （ ）
5. ★ 西直门车站还没到。 （ ）
6. ★ 他觉得老王知识丰富。 （ ）
7. ★ 大部分人支持环保活动。 （ ）
8. ★ 这是他第二次爬长城。 （ ）
9. ★ 我们要重视身体健康。 （ ）
10. ★ 那篇文章写得很精彩。 （ ）

第二部分

第 11-25 题：请选出正确答案。

例如：女：该加油了，去机场的路上有加油站吗？

男：有，你放心吧。

问：男的主要是什么意思？

A 去机场　　B 快到了　　C 油是满的　　D 有加油站 √

11. A 很香　　B 不甜　　C 太辣　　D 有点儿咸

12. A 想请假　　B 被表扬了　　C 受到邀请了　　D 要写计划书

13. A 困了　　B 饿了　　C 生病了　　D 流泪了

14. A 走路　　B 坐地铁　　C 骑自行车　　D 坐出租车

15. A 没吃饱　　B 要写日记　　C 在看电影　　D 在看小说

16. A 中午很冷　　B 空调坏了　　C 灯不亮了　　D 冰箱太旧了

17. A 刘经理　　B 王师傅　　C 张叔叔　　D 夏阿姨

18. A 照相　　B 取护照　　C 做游戏　　D 打扫厨房

19. A 鞋　　B 巧克力　　C 生日蛋糕　　D 一块儿手表

20. A 商店门口　　B 教室旁边　　C 公司楼下　　D 街道对面

21. A 结婚了 B 很后悔 C 在道歉 D 喜欢浪漫

22. A 发传真 B 打羽毛球 C 打印表格 D 复印材料

23. A 男的发烧了 B 小李出国了 C 地址写错了 D 手机修好了

24. A 还杂志 B 买饮料 C 别抽烟 D 别迟到

25. A 同情男的 B 比赛很有趣 C 输赢不重要 D 时间来得及

第三部分

第26-45题：请选出正确答案。

例如：男：把这个材料复印5份，一会儿拿到会议室发给大家。

女：好的。会议是下午三点吗？

男：改了。三点半，推迟了半个小时。

女：好，602会议室没变吧？

男：对，没变。

问：会议几点开始？

A 两点　　B 3点　　C 15：30 √　　D 18：00

26. A 门上　　B 桌子上　　C 报纸下面　　D 沙发下面

27. A 想坐船　　B 在买票　　C 很吃惊　　D 在找座位

28. A 看演出　　B 看亲戚　　C 学汉语　　D 谈生意

29. A 费电　　B 不漂亮　　C 声音大　　D 洗得不干净

30. A 火车站　　B 首都机场　　C 森林公园　　D 国家图书馆

31. A 衣服打折　　B 男的是导游　　C 顾客很失望　　D 裤子卖完了

32. A 房间小　　B 房租贵　　C 换工作了　　D 上班太远

33. A 爱跳舞　　B 放暑假了　　C 还没上学　　D 出生在冬天

34. A 脏了　　B 丢了　　C 掉色了　　D 被女的扔了

35. A 戴上帽子 B 少带吃的 C 带些水果 D 带行李箱

36. A 心情好 B 觉得他帅 C 医院要求的 D 让他别紧张

37. A 肚子难受 B 不想打针 C 不信任大夫 D 想现在理发

38. A 互相帮助 B 眼前的困难 C 轻松的考试 D 音乐的作用

39. A 不要骄傲 B 方法要直接 C 多与人商量 D 扩大调查范围

40. A 安全 B 安静 C 著名 D 高级

41. A 无污染 B 卖得一般 C 是免费的 D 农村才有

42. A 浪费时间 B 让人变笨 C 使人变穷 D 效果不错

43. A 要有理想 B 从现在做起 C 方向很关键 D 要学会拒绝

44. A 个子高 B 是博士 C 专业是新闻 D 想成为警察

45. A 借书 B 整理盘子 C 参加面试 D 参观访问

二、阅 读

第 一 部 分

第 46-50 题：选词填空。

A 往往　　B 加班　　C 流行　　D 坚持　　E 全部　　F 风景

例如：她每天都（ D ）走路上下班，所以身体一直很不错。

46．这个歌特别好听，最近很（　　），你竟然没听过？

47．最困难的时候，（　　）也是你离成功最近的时候。

48．那座山上的（　　）特别美，我们在那儿照了很多照片。

49．真抱歉，我晚上要（　　），不能和你们去逛街了。

50．爱一个人就应爱他的（　　），包括他的优点和缺点。

第 51-55 题：选词填空。

A 公里　　B 故意　　C 温度　　D 签证　　E 联系　　F 顺便

例如：A：今天真冷啊，好像白天最高（　C　）才 2℃。

B：刚才电视里说明天更冷。

51．A：小高，听说你出国的时间推迟了？

B：是的，我的（　　）还没有办好，大概得 10 月底才能走。

52．A：等会儿去散步的时候，（　　）去超市买个牙膏。

B：好，还买现在用的这种吧，我觉得挺好用的。

53．A：你说她会原谅我吗？

B：放心吧，你也不是（　　）的，去跟她解释一下，她会理解的。

54．A：真的吗？可是这辆车看起来还像是新的一样。

B：我都开了 10000 多（　　）了。

55．A：你有没有李律师的电话号码？我想问他几个法律方面的问题。

B：有，我发到你手机上，你直接跟他（　　）就行。

第二部分

第 56-65 题：排列顺序。

例如：A 可是今天起晚了

B 平时我骑自行车上下班

C 所以就打车来公司　　　　B A C

56. A 而且能说出每一道菜的味道和特点

B 那个服务员对菜单非常熟悉

C 不仅记得所有菜的名字和它们在菜单中的顺序　　　　________

57. A 我上网查了一下，按照规定

B 5 岁以下的儿童必须有大人陪同

C 否则不允许乘坐飞机　　　　________

58. A 尽管京剧只有两百年的历史，比较年轻

B 它发展得很快，深受人们喜爱

C 但与其他表演艺术相比　　　　________

59. A 其实，有时候实际情况要复杂得多

B 人们往往相信自己眼睛看到的

C 我们的眼睛也可能会骗人　　　　________

60. A 养成课外阅读的习惯很重要

B 还能提高他们的理解能力和读写水平

C 这样不但能使学生增长知识 ______________

61. A 嘴上就会直接说出来

B 意思是说一个人心里有什么看法或意见

C “心直口快”常用来说明人的性格特点 ______________

62. A 你现在要做的是冷静下来，想想办法

B 事情既然已经发生了，光着急也没有用

C 这才是解决问题的关键 ______________

63. A 就能看到家具城的入口了

B 你过了前面那个菜市场

C 再向南走大概 1000 多米 ______________

64. A 我们学校都会举办很多场校园招聘会

B 每年的四五月份

C 这为找工作的毕业生提供了很多机会 ______________

65. A 平时吃饭的人就很多，现在又是节假日

B 所以我们要早一点儿过去

C 那家饭馆儿的生意很好 ______________

第三部分

第66-85题：请选出正确答案。

例如：她很活泼，说话很有趣，总能给我们带来快乐，我们都很喜欢和她在一起。

★ 她是个什么样的人？

A 幽默 √　B 马虎　C 骄傲　D 害羞

66. 山上的温度会随着高度的增加而降低，山越高气温越低。那座山大约有两千多米高，所以明天大家一定要多穿点儿衣服。

★ 他们明天最可能要去：

A 爬山　B 游泳　C 买地图　D 检查身体

67. 不同的人对同一件事的认识可能各不相同，如果想让别人同意或者支持你的看法，最好努力证明自己是正确的，而不是一直批评别人是错的。

★ 这段话认为想获得别人的支持，应该：

A 讲信用　B 接受批评　C 热情对人　D 证明自己是对的

68. 人们很容易被便宜的东西吸引，尤其在商家打折的时候，常常会购买一些自己本来不需要、很可能一直都用不到的东西。

★ 除了价格，买东西时还应考虑：

A 质量　B 有没有用　C 制造技术　D 自己的收入

69. 成功的语言学习者，在学习方面往往都是积极主动的，他们会主动与他人进行交流，并且请别人帮助他们改错。

★ 根据这段话，学好一门语言应该：

A 多交朋友　B 及时复习　C 常听广播　D 主动与人交流

70．有些事情不是看到希望才去坚持，而是因为坚持了才会看到希望。有了前面的坚持，才会有后面的获得。所以，不到最后一刻，千万别放弃。

★ 这段话告诉我们：

A 要有自信　　B 要有礼貌　　C 别害怕孤单　　D 坚持才有希望

71．没关系，你刚来没几天，肯定觉得不太适应，任何人到了一个新环境都会这样。以后你有什么问题，可以来找我，我很愿意帮忙。

★ 说话人是什么意思？

A 多休息　　B 要准时　　C 愿意提供帮助　　D 不要打扰别人

72．在汉语里，我们把“海”“江”“河”这些字左边的部分叫做“三点水”。如果一个字中有这个部分，说明这个字的意思很可能和水有关系。这样的汉字还有很多，例如“流”“洗”“汁”“洋”等，它们都与水有关。

★ 有“三点水”的汉字：

A 数量极少　　B 很难翻译　　C 读音差不多　　D 意思多与水有关

73．知道他获得国际大奖后，亲戚朋友和很多读者都打电话向他表示祝贺。他说自己听到这个消息也非常激动，还说很感谢大家一直以来对他的支持和鼓励，他会继续努力，写出更好的小说。

★ 关于他，可以知道：

A 获奖了　　B 很伤心　　C 遇到麻烦了　　D 家里来客人了

74．我们知道的越多，就会发现自己不懂的也越多。诚实地说出自己对哪方面不了解，并不说明自己比别人差，相反，这样做更能得到别人的尊重。

★ 根据这段话，人们会尊重什么样的人？

A 友好的　　B 不怕输的　　C 成绩优秀的　　D 敢说自己不懂的

75．在中国，饺子深受大家喜爱，有“好吃不过饺子”的说法。尤其是北方，每到过年过节，包饺子、吃饺子都是人们不可缺少的重要活动。

★ 根据这段话，饺子：

A 是圆的　　B 做法简单　　C 很受欢迎　　D 不能久放

76．笑话每个人至少都知道几个，但不是所有人都会讲。讲笑话也是一门艺术，能不能使人发笑是笑话讲得好坏的主要标准。

★ 一个笑话讲得好，会：

A 让人感动　　B 引人发笑　　C 使人得意　　D 被永远记住

77．上大学时，我经常和同学一起打篮球、踢足球，运动量比较大，怎么吃也长不胖。工作后，由于缺少锻炼，虽然饭量和以前一样，却慢慢胖了起来。

★ 他大学时不胖的原因是：

A 在减肥　　B 吃得少　　C 经常锻炼　　D 学习很辛苦

78．旅行最大的好处，不是看到了多么美丽的风景，走了多远的路，遇到了多少人，而是走着走着，在一个特别的时间，突然重新认识了自己。

★ 旅行最大的好处是能使人：

A 变成熟　　B 减轻压力　　C 丰富经历　　D 更了解自己

79．说出去的话很难收回。因此，生气时不要随便说话，这时候说的一般都是气话，会给别人留下不好的印象，甚至会伤害别人。

★ 这段话告诉我们：

A 友谊第一　　B 别说气话　　C 要多关心别人　　D 要有怀疑精神

80-81．

由于气候条件不同，世界各地植物叶子的样子也很不相同。在暖和而湿润的地方，叶子往往长得又宽又厚；在比较干燥、阳光特别厉害的地方，因为空气中水分少，当地植物的叶子就会长得又窄又长，有的甚至像针一样。

★ 世界各地植物叶子不同与什么有关？

A 生长速度　　B 气候条件　　C 经济发展情况　　D 植物间的距离

★ 暖和湿润的地方，植物的叶子：

A 很硬　　B 宽且厚　　C 颜色暗　　D 容易断

82-83.

小孩儿的感情表达很直接，喜欢就是喜欢，讨厌就是讨厌；不满意了，他们就哭；高兴了，他们就笑。正因为这样，小孩儿的脾气变化也很快。刚才还对你哭个不停，也许一下子就没事了，好像什么都没发生过。

★ 不满意就哭，高兴了就笑，说明小孩儿：

A 很兴奋　　B 没有耐心　　C 觉得无聊　　D 感情表达直接

★ 关于小孩儿的脾气，可以知道：

A 变得快　　B 十分奇怪　　C 让人羡慕　　D 更像父亲

84-85.

如果太看重结果，失败就会给人们带来许多烦恼。但是如果我们把注意力放在过程上，从中发现解决问题的快乐，那么即使最后失败了，影响也会小很多。而且，我们可以从失败中总结出有用的经验，有了这些积累，成功自然离我们越来越近。

★ 根据这段话，怎样才能让失败的影响变小？

A 打好基础　　B 计划详细　　C 重视过程　　D 多回忆过去

★ “这些积累”指的是什么？

A 年龄　　B 信心　　C 竞争能力　　D 有用的经验

三、书 写

第一部分

第 86-95 题：完成句子。

例如：那座桥　800 年的　历史　有　了

那座桥有 800 年的历史了。

86. 有一些　他们俩　之间　误会

87. 答案　这道　数学题的　好像错了

88. 弟弟紧张　一身汗　得　出了

89. 留学　申请　我的　通过了

90. 邻居家的窗户　谁　把　打破了

91. 使用塑料袋　限制　是为了　污染　减少

92. 都　站起来　观众们　为他鼓掌

93. 要求　很　张教授　对学生　严格

94. 不得不　他　重新　考虑这件事

95. 飞机　是最安全的　交通工具　被认为

第二部分

第96-100题：看图，用词造句。

例如：乒乓球　她很喜欢打乒乓球。

96.  弹

97.  失望

98.  垃圾桶

99. 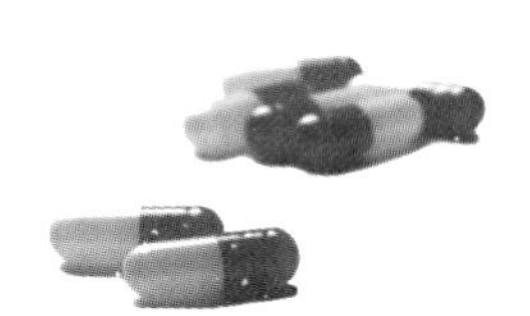 苦

100.  值得

H41225 卷听力材料

（音乐，30 秒，渐弱）

大家好！欢迎参加 HSK（四级）考试。
大家好！欢迎参加 HSK（四级）考试。
大家好！欢迎参加 HSK（四级）考试。

HSK（四级）听力考试分三部分，共 45 题。
请大家注意，听力考试现在开始。

第一部分

一共 10 个题，每题听一次。

例如：我想去办个信用卡，今天下午你有时间吗？陪我去一趟银行？
★ 他打算下午去银行。

现在我很少看电视，其中一个原因是，广告太多了，不管什么时间，也不管什么节目，只要你打开电视，总能看到那么多的广告，浪费我的时间。
★ 他喜欢看电视广告。

现在开始第 1 题：

1．这部电影是他五年前演的，当时他还只是一个普通的演员，不像现在这么有名，这么受欢迎。
★ 他五年前就很有名。

2．最近天气越来越凉快，树上的叶子也都慢慢变黄了，风一刮，草地上就会有一层厚厚的黄叶，果然是秋天到了。
★ 现在是冬季。

3．经历过那次失败后，他改变了许多，不再像以前那么粗心了，大家都说他现在做事仔细多了。
★ 他做事比过去仔细了。

4．昨天晚上我一直工作到很晚才睡，结果今天早上手机响的时候我完全没听到，等我醒来的时候已经九点了。
★ 他今天七点就起床了。

5. 各位乘客，前方到站是西直门。西直门是换乘车站，换乘车站乘客较多，请下车的乘客提前做好准备。

★ 西直门车站还没到。

6. 跟老王聊天儿是件愉快的事情，因为他知道很多东西，不管是历史故事还是科学知识，你问他什么他都知道。

★ 他觉得老王知识丰富。

7. 这次调查反映了人们对环境保护的支持，超过百分之九十的人表示愿意参加环保活动，只有百分之六的人回答说不感兴趣。

★ 大部分人支持环保活动。

8. 有人说没去过长城就不算去过北京。我来北京两年了，却还没去过长城，所以我打算这个周末去。

★ 这是他第二次爬长城。

9. 很多人年轻时觉得钱比健康重要，老了以后才发现自己错了。很多东西都是这样，等到没有了，我们才明白它们的重要性。

★ 我们要重视身体健康。

10. 这篇文章你还得拿回去好好儿改改，主要是内容有点儿乱，重点不够清楚，另外，有几个句子还有语法问题。

★ 那篇文章写得很精彩。

第二部分

一共 15 个题，每题听一次。

例如：女：该加油了，去机场的路上有加油站吗？
男：有，你放心吧。
问：男的主要是什么意思？

现在开始第 11 题：

11. 男：妈，你做的什么菜？好香啊！我尝尝。
女：别用手拿，去拿筷子。
问：男的觉得菜怎么样？

12. 女：这次文化节活动由你来负责，一定要办得热闹点儿。
男：好，我们回去就开会讨论，星期五之前把详细的计划书发给您。
问：关于男的，可以知道什么？

13. 男：你现在感觉怎么样了？好像咳嗽没那么严重了。
女：好多了，这种感冒药确实有用，头也不怎么疼了。
问：女的怎么了？

14. 女：快来不及了，我们打车过去吧？
男：还是坐地铁吧，这会儿路上恐怕会堵车。
问：男的想怎么去那儿？

15. 男：已经两点了，你怎么还不睡觉。
女：这本小说就剩十几页了，我想看看最后到底怎么样了。
问：女的为什么还不睡？

16. 女：咱们办公室的空调是不是坏了？太热了。
男：昨天就坏了，一直没人来修，我再打电话问问。
问：根据对话，下列哪个正确？

17. 男：姐，这个盒子里面是什么东西？
女：是夏阿姨带回来的糖，她从海南旅游回来了。
问：那盒糖是谁送的？

18. 女：怎么样？能把我和后面的大使馆都照进去吗？
男：没问题，你再稍微往右边站一点儿就行了。
问：他们在做什么？

19. 男：星期日是母亲节，你给妈买礼物了吗？
女：我早就准备好了，我给她买了一双鞋。
问：女的准备了什么礼物？

20. 女：你把车停哪儿了，离这儿远吗？
男：不远，在马路对面的那个停车场，楼下的车位已经满了。
问：男的把车停在哪儿了？

21. 男：新婚快乐！祝你和小马生活幸福，白头到老！
女：谢谢！也希望早点儿听到你结婚的消息。干杯！
问：关于女的，可以知道什么？

22. 女：下班了，一起去打网球吧？
男：好的，你等我几分钟，我把这个表格打印出来，马上就好。
问：男的正在做什么？

23. 男：小李换号了吗？怎么手机总是打不通？
女：他去国外出差了，月底才能回来，您有事儿就给他发电子邮件吧。
问：根据对话，下列哪个正确？

24．女：先生，我们这里禁止抽烟。
男：啊，对不起，我没注意到，我这就到外面去。
问：女的提醒男的什么？

25．男：只差一点儿就赢了，真替他感到可惜。
女：他已经打出了自己最好的水平，无论结果怎么样，我们都应该为他高兴。
问：女的是什么意思？

第三部分

一共 20 个题，每题听一次。

例如：男：把这个材料复印五份，一会儿拿到会议室发给大家。
女：好的。会议是下午三点吗？
男：改了。三点半，推迟了半个小时。
女：好，六零二会议室没变吧？
男：对，没变。
问：会议几点开始？

现在开始第 26 题：

26．女：你看见我的钥匙了吗？
男：没看见，不在你包里？
女：不在，我找了好几遍了。刚刚我还用呢，这会儿就找不到了。
男：别找了，你看，在门上挂着呢。
问：钥匙在哪儿？

27．男：你好，请问今天飞往上海最早的航班是几点？
女：八点零五，已经起飞了。
男：下一班是什么时候？还有票吗？
女：下一班是十二点半，还剩几张票，不过都不打折。
男：没关系，我要一张。
问：关于男的，下列哪个正确？

28．女：你的汉语说得真流利。
男：谢谢，我非常喜欢中国，所以专门来北京学中文。
女：原来是这样，那你来中国几年了？
男：我是去年春天来的，快两年了。
问：男的来北京做什么？

29．男：你在做什么？
女：我在网上看洗衣机呢。
男：你家的洗衣机怎么了？
女：声音实在是太吵了，也用了好多年了，想换台新的。
问：女的觉得她家的洗衣机怎么样？

30．女：明天的集合地点改在东门了？
男：是，从那边去国家图书馆方便一些。
女：行，那我通知班里的同学。时间变了吗？
男：没变，还是上午八点。
问：他们明天要去哪儿？

31．男：现在我们店内的衣服都打三折，您看看有什么需要的？
女：这条裙子不错，还有别的颜色吗？
男：还有红色和黑色，您皮肤好，这几个颜色都适合您。
女：给我拿条红色中号的，我试试。
问：根据对话，下列哪个正确？

32．女：听说你搬家了？现在住哪儿？
男：在我们公司附近。
女：我觉得你原来的房子挺好的呀，干净，周围环境也不错。
男：好是好，就是离公司太远，上下班不方便。
问：男的为什么搬家？

33．男：那个唱歌的男孩子是谁？
女：老张的孙子，你忘了？
男：我想起来了，去年寒假来咱家玩儿过。
女：是，这孩子又聪明又可爱，九月份就该上小学一年级了。
问：关于那个小孩儿，可以知道什么？

34．女：你的衬衫怎么脏了？
男：喝咖啡时不小心弄脏了。
女：我正好要洗衣服，你脱下来一起洗了吧。
男：好的。
问：那件衬衫怎么了？

35．男：东西都收拾好了吗？可以出发了吧？
女：马上，再拿些吃的就行了。
男：少带点儿，别带太多。
女：我知道，就拿了两瓶水、两包饼干。
问：男的希望女的怎么样？

第 36 到 37 题是根据下面一段话：

我陪六岁的儿子去看病，医生为了让儿子不那么紧张，指着他的耳朵笑着问："小朋友，这是鼻子吗？" 儿子看了看医生，然后很认真地对我说："妈妈，我们需要换一个医生了。"

36．医生为什么问小男孩儿问题？

37．小男孩儿是什么意思？

第 38 到 39 题是根据下面一段话：

"远水解不了近渴"意思是说离你很远的水，解决不了你口渴的问题，也就是说有的办法无法解决眼前的难题。所以，管理者在解决问题时，一定要选择最直接、最有效的方法。

38．"远水解不了近渴"的"近渴"是什么意思？

39．管理者解决问题时应注意什么？

第 40 到 41 题是根据下面一段话：

绿色在人们眼中往往代表着生命和希望，现在它有了一种新的意思，那就是无污染。市场上大受欢迎的"绿色食品"，就是指那些没有受到污染的、优质的、安全的食品。

40．绿色可以代表什么？

41．关于绿色食品，下列哪个正确？

第 42 到 43 题是根据下面一段话：

有些人经常把"明天"和"将来"挂在嘴边，任务可以明天再完成，活动可以将来再组织。这种态度会浪费时间，让你到最后什么事情都做不成。所以不要总想着还没有到来的明天，一切从现在做起吧。

42．把事情推到明天做有什么坏处？

43．这段话主要想告诉我们什么？

第 44 到 45 题是根据下面一段话：

首先，记者是我最喜欢的职业，我从小就想当一名记者；其次，我大学和研究生学的都是新闻专业，符合招聘的要求；第三，我有丰富的工作经验，而且做事细心，比较有责任心。因此，我觉得我完全有能力做好这份工作，希望可以给我一个机会，谢谢。

44．关于说话人，下列哪个正确？

45．说话人最可能在做什么？

听力考试现在结束。

H41225 卷答案

一、听 力

第一部分

1. ×	2. ×	3. √	4. ×	5. √
6. √	7. √	8. ×	9. √	10. ×

第二部分

11. A	12. D	13. C	14. B	15. D
16. B	17. D	18. A	19. A	20. D
21. A	22. C	23. B	24. C	25. C

第三部分

26. A	27. B	28. C	29. C	30. D
31. A	32. D	33. C	34. A	35. B
36. D	37. C	38. B	39. B	40. A
41. A	42. A	43. B	44. C	45. C

二、阅 读

第一部分

46. C	47. A	48. F	49. B	50. E
51. D	52. F	53. B	54. A	55. E

第二部分

56. BCA	57. ABC	58. ACB	59. BAC	60. ACB
61. CBA	62. BAC	63. BCA	64. BAC	65. CAB

第三部分

66. A	67. D	68. B	69. D	70. D
71. C	72. D	73. A	74. D	75. C
76. B	77. C	78. D	79. B	80. B
81. B	82. D	83. A	84. C	85. D

三、书 写

第一部分

86. 他们俩之间有一些误会。
87. 这道数学题的答案好像错了。
88. 弟弟紧张得出了一身汗。
89. 我的留学申请通过了。
90. 谁把邻居家的窗户打破了？
91. 限制使用塑料袋是为了减少污染。
92. 观众们都站起来为他鼓掌。
93. 张教授对学生要求很严格。
94. 他不得不重新考虑这件事。
95. 飞机被认为是最安全的交通工具。

第二部分

（参考答案）

96. 你钢琴弹得怎么样？
97. 事情没办成，我让她很失望。
98. 把瓶子扔垃圾桶里去。
99. 该吃药了，这个药不苦。
100. 这本书写得不错，值得一读。

汉语水平考试 HSK（四级）答题卡

请填写考生信息

按照考试证件上的姓名填写：

姓名	

如果有中文姓名，请填写：

中文姓名	

考生序号		
		[0] [1] [2] [3] [4] [5] [6] [7] [8] [9]
		[0] [1] [2] [3] [4] [5] [6] [7] [8] [9]
		[0] [1] [2] [3] [4] [5] [6] [7] [8] [9]
		[0] [1] [2] [3] [4] [5] [6] [7] [8] [9]
		[0] [1] [2] [3] [4] [5] [6] [7] [8] [9]

请填写考点信息

考点代码		
		[0] [1] [2] [3] [4] [5] [6] [7] [8] [9]
		[0] [1] [2] [3] [4] [5] [6] [7] [8] [9]
		[0] [1] [2] [3] [4] [5] [6] [7] [8] [9]
		[0] [1] [2] [3] [4] [5] [6] [7] [8] [9]
		[0] [1] [2] [3] [4] [5] [6] [7] [8] [9]
		[0] [1] [2] [3] [4] [5] [6] [7] [8] [9]
		[0] [1] [2] [3] [4] [5] [6] [7] [8] [9]

国籍		
		[0] [1] [2] [3] [4] [5] [6] [7] [8] [9]
		[0] [1] [2] [3] [4] [5] [6] [7] [8] [9]
		[0] [1] [2] [3] [4] [5] [6] [7] [8] [9]

年龄		
		[0] [1] [2] [3] [4] [5] [6] [7] [8] [9]
		[0] [1] [2] [3] [4] [5] [6] [7] [8] [9]

性别	男 [1]	女 [2]

注意	请用2B铅笔这样写：▬

一、听力

1. [✓] [×]
2. [✓] [×]
3. [✓] [×]
4. [✓] [×]
5. [✓] [×]
6. [✓] [×]
7. [✓] [×]
8. [✓] [×]
9. [✓] [×]
10. [✓] [×]
11. [A] [B] [C] [D]
12. [A] [B] [C] [D]
13. [A] [B] [C] [D]
14. [A] [B] [C] [D]
15. [A] [B] [C] [D]
16. [A] [B] [C] [D]
17. [A] [B] [C] [D]
18. [A] [B] [C] [D]
19. [A] [B] [C] [D]
20. [A] [B] [C] [D]
21. [A] [B] [C] [D]
22. [A] [B] [C] [D]
23. [A] [B] [C] [D]
24. [A] [B] [C] [D]
25. [A] [B] [C] [D]
26. [A] [B] [C] [D]
27. [A] [B] [C] [D]
28. [A] [B] [C] [D]
29. [A] [B] [C] [D]
30. [A] [B] [C] [D]
31. [A] [B] [C] [D]
32. [A] [B] [C] [D]
33. [A] [B] [C] [D]
34. [A] [B] [C] [D]
35. [A] [B] [C] [D]
36. [A] [B] [C] [D]
37. [A] [B] [C] [D]
38. [A] [B] [C] [D]
39. [A] [B] [C] [D]
40. [A] [B] [C] [D]
41. [A] [B] [C] [D]
42. [A] [B] [C] [D]
43. [A] [B] [C] [D]
44. [A] [B] [C] [D]
45. [A] [B] [C] [D]

二、阅读

46. [A] [B] [C] [D] [E] [F]
47. [A] [B] [C] [D] [E] [F]
48. [A] [B] [C] [D] [E] [F]
49. [A] [B] [C] [D] [E] [F]
50. [A] [B] [C] [D] [E] [F]
51. [A] [B] [C] [D] [E] [F]
52. [A] [B] [C] [D] [E] [F]
53. [A] [B] [C] [D] [E] [F]
54. [A] [B] [C] [D] [E] [F]
55. [A] [B] [C] [D] [E] [F]

56. ___ ___ ___ ___

57. ___ ___ ___ ___

58. ___ ___ ___ ___

59. ___ ___ ___ ___

60. ___ ___ ___ ___

61. ___ ___ ___ ___

62. ___ ___ ___ ___

63. ___ ___ ___ ___

64. ___ ___ ___ ___

65. ___ ___ ___ ___

66. [A] [B] [C] [D]
67. [A] [B] [C] [D]
68. [A] [B] [C] [D]
69. [A] [B] [C] [D]
70. [A] [B] [C] [D]
71. [A] [B] [C] [D]
72. [A] [B] [C] [D]
73. [A] [B] [C] [D]
74. [A] [B] [C] [D]
75. [A] [B] [C] [D]
76. [A] [B] [C] [D]
77. [A] [B] [C] [D]
78. [A] [B] [C] [D]
79. [A] [B] [C] [D]
80. [A] [B] [C] [D]
81. [A] [B] [C] [D]
82. [A] [B] [C] [D]
83. [A] [B] [C] [D]
84. [A] [B] [C] [D]
85. [A] [B] [C] [D]

86-100题接背面

汉语水平考试 HSK（四级）答题卡

三、书写

86.

87.

88.

89.

90.

91.

92.

93.

94.

95.

96.

97.

98.

99.

100.

不要写到框线以外！

策划编辑 梁 宇　　责任编辑 王 群　　封面设计 李树龙
责任校对 王 群　　责任印制 赵义民

出版发行 高等教育出版社
社　　址 北京市西城区德外大街4号
邮政编码 100120
印　　刷 大厂益利印刷有限公司
开　　本 889mm×1194mm 1/16
印　　张 8.75
字　　数 207千字
购书热线 010-58581118

咨询电话 400-810-0598
网　　址 http://www.hep.edu.cn
　　　　 http://www.hep.com.cn
网上订购 http://www.landraco.com
　　　　 http://www.landraco.com.cn
版　　次 2014年1月第1版
印　　次 2014年9月第3次印刷
定　　价 64.00元（含光盘）

本书如有缺页、倒页、脱页等质量问题，请到所购图书销售部门联系调换

物 料 号 38978-00

图书在版编目（[illegible]）数据

HSK 真题集 ：20[illegible]版．四级 / 孔子学院总部 / 国家汉办编制．-- 北京 ：高等教育出版社，2014.1
ISBN 978-7-04-038978-4

Ⅰ．①H… Ⅱ．①孔… Ⅲ．①汉语－对外汉语教学－水平考试－试题 Ⅳ．①H195

中国版本图书馆 CIP 数据核字（2014）第 007128 号

策划编辑　梁　宇　　责任编辑　王　群　　封面设计　李树龙
责任校对　王　群　　责任印制　赵义民

出版发行　高等教育出版社
社　　址　北京市西城区德外大街4号
邮政编码　100120
印　　刷　大厂益利印刷有限公司
开　　本　889mm×1194mm　1/16
印　　张　8.75
字　　数　207千字
购书热线　010-58581118
咨询电话　400-810-0598
网　　址　http://www.hep.edu.cn
　　　　　http://www.hep.com.cn
网上订购　http://www.landraco.com
　　　　　http://www.landraco.com.cn
版　　次　2014年 1 月第 1 版
印　　次　2014年 9 月第 3 次印刷
定　　价　64.00 元（含光盘）

物 料 号　38978-00